BAKUMAN.

6

GUIÓN:
TSUGUMI
OHBA

DIBUJO:
TAKESHI
OBATA

少年ジャンプ

第 月

日号

号 原稿

 COMICS

J MAN. 6 vol.

EIJI NIIZUMA

⊗ GENIAL MANGAKA QUE CONSIGUIÓ LLEGAR A FINALISTA DEL PREMIO TEZUKA CON APENAS 15 AÑOS. ES DE LA MISMA QUINTA QUE SAIKO Y COMPAÑÍA.

EDAD: 18 AÑOS.

KAYA MIYOSHI

⊗ AMIGA ÍNTIMA DE MIHO. SALE CON SHUJIN Y SE EMPEÑA EN HACER DE CELESTINA ENTRE SAIKO Y AZUKI. EN EL FONDO, ES UNA "BUENAZA".

EDAD: 17 AÑOS.

AKITO "SHUJIN" TAKAGI

⊗ GUIONISTA DE MANGA. UN GENIO QUE SACA LAS MEJORES NOTAS DE SU CLASE. ES FRÍO Y CALCULADOR, PERO EN LO REFERENTE AL MANGA TIENE UNA FACETA DE LO MÁS APASIONADA.

EDAD: 17 AÑOS.

MIHO AZUKI

⊗ SU SUEÑO ES SER ACTRIZ DE DOBLAJE. LE PROMETE A SAIKO QUE SE CASARÁ CON ÉL A CONDICIÓN DE QUE NO SE VEAN HASTA QUE HAYAN CUMPLIDO SUS SUEÑOS.

EDAD: 17 AÑOS.

MORITAKA "SAIKO" MASHIRO

⊗ DIBUJANTE DE MANGA. ROMÁNTICO EMPEDERNIDO QUE LE JURA A AZUKI QUE SE CASARÁN CUANDO AMBOS HAYAN CUMPLIDO SUS RESPECTIVOS SUEÑOS.

EDAD: 17 AÑOS.

※ LAS EDADES DE LOS PERSONAJES CORRESPONDEN A JUNIO DE 2009.

RESUMEN

DOS CHICOS TOMAN LA DECISIÓN DE RECORRER EL ARDUO "CAMINO DEL MANGA" CON EL OBJETIVO DE HACERSE CON UNA GLORIA RESERVADA A SOLO UNOS POCOS: MORITAKA MASHIRO, QUE TIENE MUY BUENA MANO PARA EL DIBUJO, Y AKITO TAKAGI, QUE ESCRIBE DE MARAVILLA, ¡DECIDEN FORMAR UN DÚO CREATIVO CON LA IDEA DE FORJAR UNA NUEVA LEYENDA DEL MANGA!

BAKU

REDACCIÓN DE LA WEEKLY SHONEN JUMP

1. EDITOR JEFE SASAKI. EDAD: 48 AÑOS
2. VICEEDITOR JEFE HEISHI. EDAD: 43 AÑOS
3. SOICHI AIDA. EDAD: 36 AÑOS
4. YUJIRO HATTORI. EDAD: 29 AÑOS
5. AKIRA HATTORI. EDAD: 31 AÑOS
6. KOJI YOSHIDA. EDAD: 33 AÑOS
7. GORO MIURA. EDAD: 24 AÑOS

AUTORES QUE LLEGAN PISANDO FUERTE

A. SHINTA FUKUDA. EDAD: 21 AÑOS
B. TAKURO NAKAI. EDAD: 34 AÑOS
C. KO AOKI. EDAD: 21 AÑOS
D. KOJI MAKAINO. EDAD: 30 AÑOS
E. KAZUYA HIRAMARU. EDAD: 28 AÑOS

F. OGAWA G. TAKANAWA H. HATO I. YASUOKA. ☆ AYUDANTES.

	PÁGINA 44	**GRATITUD E IMPREVISTO**	7
	PÁGINA 45	**ENFERMEDAD Y GANAS**	27
	PÁGINA 46	**TELEPATÍA Y APOYO**	47
	PÁGINA 47	**CONTRADICCIONES Y MOTIVOS**	67
	PÁGINA 48	**MUERTE Y PAUSA**	87
	PÁGINA 49	**RECONSIDERACIONES Y LLAMADAS**	107
	PÁGINA 50	**IMPRUDENCIA Y TENACIDAD**	127
	PÁGINA 51	**REINICIO Y CAÍDA**	149
	PÁGINA 52	**OPINIONES Y HUIDAS**	169

¡HAZ EL FAVOR DE NO MENOS-PRECIARNOS! ¡JA, JA, JA!

¡OS JURO QUE NO CREÍA QUE PUDIÉRA-MOS ALCANZAR A CROW! ¡ES-TO ES UNA PASADA!

LAS ENCUESTAS COLOCARON A LA 14.ª ENTREGA DE NUESTRA SERIE *FALSO DETECTIVE TRAP* AL MISMO NIVEL QUE *CROW* DE EIJI NIIZUMA: EN EL TERCER PUESTO.

...

PÁGINA 44: GRATITUD E IMPREVISTO

PODEMOS HACER REALIDAD LAS PREDICCIONES DE HATTORI... MEJOR DICHO...

Y JUSTO HA PASADO ESE TIEMPO.

BIEN PENSADO, HATTORI YA LO DIJO.

YO CREO QUE LE SUPERARÁN EN TRES AÑOS.

LA PRIMERA VEZ QUE FUIMOS A LA EDITORIAL A MOSTRAR NUESTRO TRA-BAJO DIJO QUE SUPERARÍAMOS A EIJI NIIZUMA EN CUESTIÓN DE TRES AÑOS.

¡ESPECIALMENTE LA DEL PRIMERO! ¡SEGÚN LA PORTADA, PUEDES VENDER DECENAS DE MILES MÁS O MENOS!

¡ESTA ES PERFECTA! ¡COLORÉALA Y ANDANDO!

Y LAS PORTADAS DE LOS TOMOS SON MUY IMPORTANTES.

TUS ILUSTRACIONES NO TIENEN NADA QUE ENVIDIAR A LAS DE NADIE, MASHIRO.

¡HUM! ¡ME GUSTA! ¡SÍ, ME GUSTA!

¡AH! ¡POR CIERTO, LA TIRADA SERÁ DE 100.000 UNIDADES!

AUNQUE TAMBIÉN ES CIERTO QUE DE *CROW* SE TIRARON 150.000, PERO BUENO...

¡EL 1 DE *OTTER'S 11* TAMBIÉN SE PONE A LA VENTA EL MISMO DÍA! ¡Y CON 60.000 EJEMPLARES!

¿Y ESO ES MUCHO O POCO?

TAL COMO VAIS, LA PRIMERA EDICIÓN SE AGOTARÁ RÁPIDO Y HABRÁ QUE REEDITAR.

¡VAYA PREGUNTA! ¡100.000 EJEMPLARES PARA UNA PRIMERA EDICIÓN DEL PRIMER TOMO DE UNOS NOVATOS ES UNA BURRADA!

LO DE MEAR SANGRE ME PASÓ POR LA NOCHE Y AL DÍA SIGUIENTE, EN LA CONSULTA, ME SALIÓ LA ORINA NORMAL. ASÍ QUE ME RECETÓ UNOS MEDICAMENTOS Y ME DIJO QUE SI VOLVÍA A PASARME, QUE FUERA A VERLE OTRA VEZ. NI ME INGRESÓ NI NADA.

NO ME SALIÓ BIEN LA JUGADA.

¿QUÉ JUGA-DA?

IR AL URÓLOGO DA UN CORTE QUE TE CAGAS, ¿SA-BES? LA GENTE SE CREE QUE VAS PARA QUE TE CURE OTRA COSA. TUVE QUE ESPERAR A QUE NO HUBIERA NADIE EN LA CALLE PARA ENTRAR.

CLARO QUE FUI.

SA... ¿SANGRE? ¿Y NO FUISTE AL MÉ-DICO...?

¿TIENES UN SEGUNDO, MASHIRO?

¿EH?

...

NECESITO UN DES-CANSO, ¿VALE?

¿INGRESARTE? PERO EN EL HOSPITAL NO PODRÍAS TRA-BAJAR.

NO HAY NINGUNA GARANTÍA EN ESTE TRABA-JO.

PUES HABRÍA QUE AVI-SAR.

YA LO HE HECHO.

Srs. Ashirogi

Siento mandaros un fax tan ridículo. Veréis, el caso es que Kazuya Hira sensei, autor de Otter's 11, tiene dencia al escaqueo y podría darse de que fuera a visitaros al estudi Ya ha ocurrido en tres ocasione que si pasa algo así, os ruego qu inmediatamente a la redacción d Shonen Jump para avisar y toma el asunto.

Atentamente, Yoshida

ANOCHE LLEGÓ ESTE FAX.

AHORA QUE LO PIENSO, EL PRIMER DÍA DIJO QUE NO PENSABA QUE ESTO FUERA A DURAR MUCHO...

¿YA VA A SALIR UN TOMO? BUENO, PARECE QUE LA COSA SIGUE ADELANTE; ES UN ALIVIO.

ES QUE EL VIERNES TENGO QUE ENTREGAR LAS CORRECCIONES PARA EL TOMO Y LA ILUSTRACIÓN DE PORTADA.

YA TIENES EL ENTINTADO LISTO, POR LO QUE VEO. VA DE PERLAS.

LO QUE PASA ES QUE SOLO DIBUJA FONDOS Y NO SE ESFUERZA EN DIBUJAR MEJOR A LOS PERSONAJES...

SI LO TUVIERA INTENTARÍA SER *MANGAKA* PROFESIONAL. DIBUJAR OBJETOS Y FONDOS SE ME DA BIEN, PERO EN CUESTIÓN DE PERSONAJES, TAKAHAMA ME DA MIL PATADAS.

DIGAMOS QUE TIENE UN DON PARA ESTO... ALGO QUE YO NO TENGO, DESDE LUEGO.

SE NOTA QUE LE PONES MUCHAS GANAS; MOLA TRABAJAR ASÍ.

ADEMÁS, EN ESTOS ÚLTIMOS CAPÍTULOS, TU DIBUJO ESTÁ MEJORANDO MUCHÍSIMO, MASHIRO.

RIC RIC

RIC RIC

BLA BLA BLA

¿EN SERIO?

¡BRAVO, MASHIRO!

¡SÍ!

¡PERO EL 19 LLEVA INTRODUCCIÓN A COLOR! ¡AHÍ LE DAREMOS LA VUELTA A LA TORTILLA!

¡CLARO!

EL 15.º CAPÍTULO QUEDÓ EN SEXTO LUGAR MIENTRAS CROW DEFENDÍA CON SOLTURA SU TERCER PUESTO, LO QUE VOLVIÓ A ABRIR LA BRECHA.

¡SEXTOSSS!

6.º PUESTO EN EL CAPÍTULO 15.

TODO IBA DE MARAVILLA.

DEBO TENER TODO EL ENTINTADO LISTO PARA CUANDO VENGAN LOS AYUDANTES MAÑANA. Y YA SOLO ME QUEDARÁ PINTAR...

TENÍA QUE DEJAR LISTAS LAS 19 PÁGINAS DEL CAPÍTULO 18 Y LAS TRES PÁGINAS A COLOR DE LA INTRODUCCIÓN DEL 19.

INTRODUCCIÓN DEL 19.ª
3 PÁGINAS A COLOR

Y

CAPÍTULO 18.ª
19 PÁGINAS

AFORTUNADAMENTE, EL 15 DE JUNIO ERA EL ANIVERSARIO DEL INSTITUTO Y NO ERA LECTIVO. DECIDÍ PASAR TODO EL DÍA 14, NOCHE INCLUIDA, TRABAJANDO EN EL ESTUDIO.

BUENOS DÍAS. VENÍAMOS EN EL MISMO TREN, ¿EH?

¿VERDAD QUE NO TE IMPORTA QUE ANDEMOS JUNTOS? TOTAL, VAMOS AL MISMO SITIO.

YA...

¿...?

ME ENCANTA MASHIRO.

¡....!

CREO QUE ESTÁ DORMIDO.

¡ÑAGH!

ESTÁ MUER-TO.

¡ÑOOOOOO!

¡¿EH?!

SHUE

TENÍA CASI TODA LA ENTREGA EN-TINTADA, A EXCEPCIÓN DE DOS O TRES PÁGINAS, ASÍ QUE ENTRE TA-KAHAMA Y YO VAMOS A ACA-BAR EL TRABA-JO. KATO LE HA ACOMPA-ÑADO AL HOSPITAL.

AL FINAL HA RECOBRADO LA CONCIENCIA, PERO ESTABA MUY DESO-RIENTADO Y SUDABA COMO UN GRIFO. SE LO ACABA DE LLEVAR UNA AMBULAN-CIA.

SÍ...

SE... ¿SE HA DESMA-YADO...?

CLASK

¿ADÓNDE VA CON ESA CARA BLANCA COMO EL PAPEL...?

¿QUÉ HOS-PITAL ES?

EL MUNI-CIPAL DE YAKU-SA.

ENTEN-DIDO, AHORA MISMO VOY.

¡...!

¡MA-SHIRO SE HA DESMA-YADO!

¡ESPERA, MIURA! ¿QUÉ PASA?

¡VALE!

¡TE ACOMPAÑO! ¡NO DIGAS NADA A LOS DE ARRIBA TODAVÍA!

LA VERDAD ES QUE SE LE HABÍA ACUMULADO UN MONTÓN DE TRABAJO ENTRE EL TOMO Y LA "INTRO" A COLOR...

ESTO ES LO PEOR QUE PODRÍA PASARLE, ¿NO...? VA AL INSTI-TUTO...

TAP

AÚN ESTÁ EN OBSER-VACIÓN...

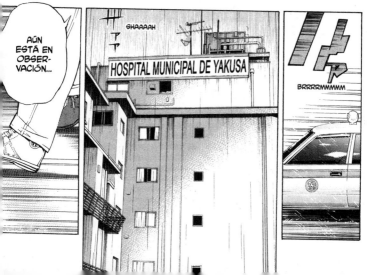

SHAAAAH

HOSPITAL MUNICIPAL DE YAKUSA

BRRRRMMMMM

SOY SU MADRE.

¿SU PADRE, MADRE O TUTOR?

DO... DOCTOR... ¡¿CÓMO ES- TÁ SAIKO...?! DIGO, MA- SHIRO...

ZUS...

PASEN TODOS, PUES. HABLAREMOS DENTRO.

TÚ VUELVE AL ESTUDIO, KATO.

DÉ- JANOS HA- CER.

VA- LE...

PE- RO...

TAKAGI Y MASHIRO SON AUTORES DE MANGA, GUIONISTA Y DIBUJANTE RES- PECTIVAMENTE. NOSOTROS SOMOS DE LA EDITORIAL. SI NO LE IMPORTA, NOS GUSTARÍA SABER CÓMO ESTÁ.

YO SOY AMIGO ÍNTIMO. MEJOR DICHO, SOY SU OTRA MITAD Y...

ES... ESO SÍ QUE NO...

SALA DE OBSERVA

¡FINALIZADO!

**BAKUMAN. VOL. 6
"PROCESO DE CREACIÓN"
PÁGINA 44; P. 12-13**

HEMOS DETECTADO IMPORTANTES CANTIDADES DE ASAT, ALAT Y DEMÁS EN SU SANGRE... BUENO, SI SE LO DIGO ASÍ NO LO ENTENDERÁN...

RESUMIENDO, QUE NO SOLO TIENE EL HÍGADO MUY DÉBIL, SINO QUE ADEMÁS HA SUFRIDO UNA INFECCIÓN BACTERIANA. Y ESA SÍ HAY QUE ERRADICARLA...

EL DIAGNÓSTICO ES EL QUE ES.

PÁGINA 45: ENFERMEDAD Y GANAS

TRÁEME LOS MANUSCRITOS.

SAI-KO...

SHUJIN...

!

...

SÍ, YA LO SÉ.

ME HAN DICHO QUE ME VAN A TENER QUE OPERAR.

TENDRÉ QUE TRABAJAR AQUÍ EN EL HOSPITAL.

TARDARÉ TRES MESES POR LO MENOS EN RECIBIR EL ALTA.

CLAAANC...

¡ME VOY! ¡TENGO TRABAJO QUE HACER!

QU... ¡¿QUÉ ESTÁS DICIENDO?! ¡TIENES QUE GUARDAR CAMA!

RAAAAS

CLAC

PUEDE QUE NO, PERO SI SIGUES HACIENDO TONTERÍAS SOLO CONSEGUIRÁS EMPEORAR.

¡VAMOS! ¡NO SEAS TONTO Y TÚMBATE!

NADIE SE MUERE POR TAN POCO.

LLEVAMOS UNA SERIE SEMANAL...

ENTONCES DÉJEME TRABAJAR EN EL HOSPITAL...

SOY MÉDICO Y, COMO TAL, MI DEBER ES CURARTE. HAZ CASO DE LO QUE TE DIGO.

NO PUEDES DEJAR ESTO A LA BUENA DE DIOS, ¿VALE? SI SIGUES EMPEORANDO, LLEGARÁ EL PUNTO EN EL QUE NO HABRÁ MARCHA ATRÁS. ESTA NO ES UNA ENFERMEDAD QUE SE CURE SOLA.

ARF AGH

¡¡Y NO PODEMOS FALLAR NI CON UNA SOLA ENTREGA!!

PERO ESTÁS ENFERMO, Y CURARTE ES LO PRIMERO. ¡NO ES VAGANCIA! ¡NO TIENES POR QUÉ AVERGONZARTE!

DESCANSA; TE LO MERECES.

¡ESO! ¡HIRAMARU-SENSEI DEBERÍA ESCUCHARTE!

MASHIRO, ESTAS PALABRAS TE HONRAN, PERO YA ESTÁ BIEN.

PUES NO SÉ, PERO SI FALTABA ALGO NO CREO QUE FUERA MUCHO MÁS.

A VER, MASHIRO. ¿ES VERDAD QUE SOLO FALTAN DOS PÁGINAS Y POCO MÁS PARA TERMINAR DE ENTINTAR EL CAPÍTULO 18?

...

NO QUIERO FALLAR CON NINGUNA ENTREGA... CUANDO POR FIN HABÍAMOS CONSEGUIDO EL ÉXITO... ¡NO PODEMOS PARAR AHORA!

¡SEGURO QUE TÚ LO ENTIENDES, HATTORI! ¡ESTO NO ES COMO EL CASO DE UN MANGA QUE LLEVA AÑOS PUBLICÁNDOSE Y SU AUTOR DECIDE TOMARSE UN DESCANSO!

PERO CON ESA MISMA ENTREGA TENGO QUE ENTREGAR LAS PÁGINAS A COLOR DEL SIGUIENTE O NO LLEGAMOS. NECESITO UN DÍA ENTERO PARA COLOREAR.

UNAS TRES O CUATRO HORAS PARA EL CAPÍTULO 18...

...

NI HABLAR. QUIERO ENTINTAR PERSONALMENTE TODOS LOS PERSONAJES. SOY UN PROFESIONAL.

¿CUÁNTO TIEMPO TARDARÍAS?

DE MOMENTO HAREMOS QUE LOS AYUDANTES FINALICEN EL 18... DESPUÉS YA PENSAREMOS QUÉ HACER Y LLEGAREMOS A UNA SOLUCIÓN. ¿TE PARECE?

YA ESTÁ BIEN.

MIURA...

¿QUÉ TAL, DOCTOR...? UN DÍA... O BUENO, AUNQUE SEAN SOLO CUATRO HORAS...

¡NO ES UN ROBOT QUE DIBUJA MANGA!

¿QUÉ TIENE USTED EN LA CABEZA? ¿ACASO QUIERE MATAR A MI HIJO?

LAMENTO HABER SIDO TAN EGOÍSTA...

...

GRACIAS.

NO SE PREOCUPE, SEÑORA.

MIENTRAS ESTÉ EN EL HOSPITAL, ME RESPONSABILIZARÉ DE QUE DESCANSE.

SÍ...

...

¿HA QUEDADO CLARO, MORITAKA? TU SALUD ES LO PRIMERO.

NO HAY MOTIVOS DE PREOCUPACIÓN SIEMPRE QUE NO HAGA NINGUNA TONTERÍA.

BUENO, LA HORA DE VISITAS ACABA A LAS SIETE, POR LO QUE VAMOS A TRASLADAR A MORITAKA A SU HABITACIÓN.

..CLAC

♪♪♪

!

LE OPERAN...

¿IN-GRESA-DO...?

SOY MIURA. TODO INDICA QUE MASHIRO VA A TENER QUE PASAR UNA TEMPORADA INGRESADO.

VEREMOS QUÉ HACER MÁS TARDE, CUANDO HAYA VUELTO A LA EDITORIAL Y LO HAYA CONSULTADO CON LOS JEFES. MAÑANA A MÁS TARDAR OS LLAMO Y OS DIGO QUÉ TAL.

DE MOMENTO, ID TERMINANDO LAS 16 PÁGINAS DEL CAPÍTULO 18 QUE YA ESTÁN ENTINTADAS.

CLAPS

リ゜フ"リ

¡OH, MIERDA! SAIKO, TÍO...

NO HAY OTRA.

HABRÁ QUE PARAR LA SERIE.

¿SAIKO? ¿POR QUÉ ME LLAMAS? ¿YA TE DEJAN?

SOY YO, SHUJIN.

TELF. PÚBLICO

♪

TRÁEME LOS MANUSCRITOS AL HOSPITAL. ERES EL ÚNICO EN QUIEN PUEDO CONFIAR. YA LO SABES: SOY UN PROFESIONAL Y NO VOY A FALTAR A UNA ENTREGA.

TENGO QUE IR AL BA-ÑO DE VEZ EN CUANDO, DIGO YO.

SAIKO...

...

MI COMPAÑERO DE HABITACIÓN ES UN ABUELO. SOLO TENGO QUE PROCURAR QUE NO ME PILLE EL MÉDICO O NINGUNA ENFERMERA. POR CIERTO, COMO CIE-RRAN LAS LUCES A LAS NUEVE TAMBIÉN NECESI-TARÉ UNA LINTERNA, AL ESTILO DE NAKAI. TENGO MUCHO MÁS TIEMPO AQUÍ QUE TENIENDO QUE IR A CLASE, HOMBRE.

PE... ¿PERO SEGURO QUE PO-DRÁS DIBUJAR AHÍ...?

NO ME VOY A MORIR, MACHO, SOLO ME VAN A OPERAR. EL ÚNICO DÍA QUE NO PODRÉ TRABAJAR SERÁ EL DE LA OPERACIÓN.

PE... PERO...

¿¡TÚ TAMBIÉN ME SALES CON ESO, SHUJIN?! ¡NO PODEMOS FALLAR AHORA! ¡SI NO PUBLICAMOS DURANTE TRES O CUATRO MESES, LOS LECTORES QUE HEMOS CONSEGUIDO SE OLVIDARÁN DE NOSOTROS!

TÍO, SABES QUE TE ESPERARÉ HASTA QUE TE CURES, ¿VALE...? LO PRIMERO ES TU SALUD.

...

¡GENIAL! ¡LAS VISITAS EMPIEZAN A LAS TRES! ¡TE ESPERO A ESA HORA!

TÚ... TÚ GANAS. TE LOS LLEVARÉ MAÑANA.

COMO NO SE CALME EMPEORARÁ MÁS TODAVÍA...

TI... TIENES RAZÓN...

¡TENEMOS "INTRO" A COLOR! ¡PODEMOS SUPERAR A EIJI! ¡¿NO QUIERES DEVOLVERLE EL FAVOR A HATTORI?! ¡LA ERA DE TRAP ESTÁ POR LLEGAR TODAVÍA!

¿EH? ¿ADÓNDE?

¿PUEDES SALIR UN MOMENTO?

¿CÓMO QUE "DÓNDE ESTOY"? ¡HE IDO AL ESTUDIO Y NO ESTABAIS, Y ENCIMA LOS DEMÁS ESTABAN FATAL Y TÚ CON EL TELÉFONO APAGADO! ¡ME ESTABAS PONIENDO LOS CUERNOS, SEGURO!

¿DÓNDE ESTÁS AHORA, MIYOSHI?

HMMM.... AL PARQUE MOMIJI.

UUUT

BIP! BIP!

CHAAASK...

¡LO SÉ! SOY PATÉTICO...

¡SI ERES DE VERDAD SU AMIGO, DEBERÍAS HABERLE PARADO LOS PIES! ¡¿ESTÁS TONTO O QUÉ?!

¡TÚ ERES IMBÉCIL!

EN REALIDAD SOMOS UNO EN DOS... YO TAMPOCO QUIERO TENER QUE PARAR AHORA Y, SI ESTUVIERA EN SU LUGAR, ESTOY SEGURO DE QUE QUERRÍA SEGUIR DIBUJANDO HASTA MORIR... LOS DOS SOMOS MUY CONSCIENTES DEL MOMENTO TAN DELICADO EN EL QUE ESTAMOS...

SAIKO Y YO SOMOS AMIGOS, PERO NO ES TAN SENCILLO.

...

¿POR QUÉ HA TENIDO QUE SER ÉL? OJALÁ HUBIESE SIDO YO EL QUE CAYERA ENFERMO. MIENTRAS TENGAS UNA LIBRETA, LOS STORYS SE PUEDEN ESCRIBIR DESDE CUALQUIER PARTE...

SE... SERÁ MEJOR NO DECIRLE NADA...

!

¿Y CÓMO SE LO DECIMOS A AZUKI...?

7

¿TÚ QUÉ HARÍAS, MIYOSHI? ¿TE GUSTARÍA QUE TU AMIGA TE ESCONDIERA QUE A TU NOVIO LO VAN A OPERAR Y SOLO TE LO DIJERA CUANDO YA HUBIERA PASADO TODO?

CLARO... ENTONCES TAL VEZ ESPERAR A QUE ACABE LA OPERACIÓN...

PERO ELLA LEE LA *JUMP* TODAS LAS SEMANAS, ¿NO? SI HAY UNA PAUSA, SE DARÁ CUENTA. PODRÍAMOS ENGAÑARLA DURANTE UNAS DOS SEMANAS, PERO TRES MESES ENTEROS ES IMPOSIBLE...

E INCLUSO PUEDE QUE NI SIQUIERA ELLA PUEDA.

ES LA ÚNICA PERSONA A LA QUE SAIKO HARÍA CASO SI LE DIJERA QUE DEBE PROCURAR DESCANSAR Y DEJAR EL MANGA A UN LADO POR EL MOMENTO.

ADEMÁS, AZUKI ES LA ÚNICA PERSONA A LA QUE PODEMOS PEDÍRSELO.

¿EL QUÉ?

PERO PRECISAMENTE PORQUE SAIKO LO ES, DEBEMOS DECÍRSELO.

ES... ES VERDAD...

QUÉ VA, EN REALIDAD ES MUY FUERTE... EL CASO ES QUE ES CIERTO QUE NADIE SE QUEDARÍA IMPASIBLE AL ENTERARSE DE QUE A SU PAREJA LA VAN A OPERAR.

TÚ NO CONOCES A MIHO. PUEDE VENIRSE ABAJO NADA MÁS ENTERARSE DE QUE ÉL ESTÁ INGRESADO Y QUE LE VAN A OPERAR. ELLA ES ASÍ.

BUENAS NOCHES.

BUE-NAS NO-CHES...

ES TAKA-GI...

VERÁS, NO HAY MOTIVOS PARA PREOCUPARSE, PERO ES QUE SAIKO SE HA PUESTO EN-FERMO.

?!

NO TE PONGAS NERVIO-SA, POR FAVOR.

FURS...

¡MI-HOOOOO! ¡LA CENA ESTÁ LIS-TAAA!

...

INGRESADO... OPERACIÓN...

TAP
TAP

MASHI-RO...

MAMÁ.

...

...ESTÁ INGRESADO... VAN A OPE-RARLE PARA QUITARLE UN TROZO DE HÍGADO...

YA... EL CHICO QUE TE GUSTA POR FUERZA TENÍA QUE SER TRABAJADOR...

ES QUE TIENE QUE GUARDAR REPOSO ABSOLUTO, PERO ÉL INSISTE EN SEGUIR TRABAJANDO EN EL HOSPITAL.

¿DE QUE PARE?

TAKAGI DICE QUE SOY LA ÚNICA QUE PUEDE CONSEGUIRLO.

QU... QUIERO IR A CONVENCERLE DE QUE PARE DE DIBUJAR.

ES QUE MIHO ME DA PENITA.

¿PUEDES IR UN RATO A TU HABITACIÓN, MINA, CARIÑO?

NO QUIERO.

MIHO...

...

SÍ...

MAÑANA NO VAYAS AL INSTITUTO Y VE A VERLE. PERO PROCURA MOSTRAR ENTEREZA Y NO PIERDAS LA SONRISA.

GRACIAS.

CLARO. MINA TIENE RAZÓN.

NO TE PREOCUPES, MIHO. LOS MÉDICOS DE ESTE PAÍS SON MUY BUENOS.

PLATCH...

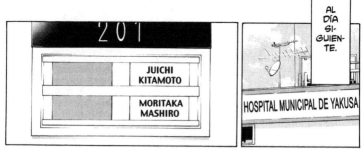

201

JUICHI
KITAMOTO

MORITAKA
MASHIRO

AL
DÍA
SI-
GUIEN-
TE.

HOSPITAL MUNICIPAL DE YAKUSA

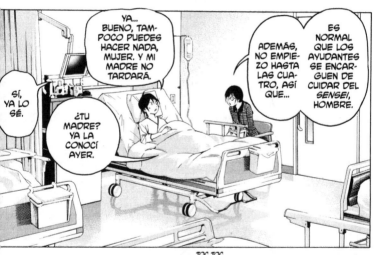

SÍ,
YA LO
SÉ.

YA...
BUENO, TAM-
POCO PUEDES
HACER NADA,
MUJER. Y MI
MADRE NO
TARDARÁ.

¿TU
MADRE?
YA LA
CONOCÍ
AYER.

ADEMÁS,
NO EMPIE-
ZO HASTA
LAS CUA-
TRO, ASÍ
QUE...

ES
NORMAL
QUE LOS
AYUDANTES
SE ENCAR-
GUEN DE
CUIDAR DEL
SENSEI,
HOMBRE.

TOC TOC

¡¿EH?!

MA-
SHIRO.

¿A QUÉ
DEMO-
NIOS ESTÁ
ESPERANDO
SHUJIN...?
QUEDAMOS
EN QUE ME
TRAERÍA LOS
MANUSCRI-
TOS A LAS
TRES...

A... ¡¿AZUKI?! QU... ¡¿QUÉ HACE AQUÍ...?!

SEGURO QUE MIYOSHI HA VUELTO A IRSE DE LA LENGUA...

LA NOVIA...

201

SOY YO, AZUKI.

¡UAU! SI PARECE UNA MUÑECA... NO TENGO NINGUNA POSIBILIDAD...

¿EH? AH, VALE. QUE VAYA BIEN EL TRABAJO.

TAMPOCO HACE FALTA QUE ENFATICES TANTO QUE SOMOS COMPAÑEROS DE TRABAJO, HOMBRE...

YO... NO QUISIERA MOLESTAR, ASÍ QUE ME VOY.

FLIS

FLAS

!

¿PUEDO ENTRAR, MASHIRO?

OSTRAS, ME HA HECHO UNA REVERENCIA ELLA PRIMERO. VA SOBRADÍSIMA...

FLIIIP

201

¡FINALIZADO!

QUIERO QUE DEJES DE DIBUJAR HASTA QUE TE DEN EL ALTA. POR FAVOR, HAZLO POR MÍ.

PARA MÍ TE HAS CONVERTIDO EN ALGUIEN IRREMPLAZABLE.

¿QUÉ TE IMPORTA MÁS? ¿EL MANGA O YO?

DI... DIME, MASHIRO...

...

...

PERO SI TE EMPEÑAS EN PONERLO DE ESA FORMA...

CHAK

LAS DOS COSAS ME IMPORTAN.

NO SE PUEDE NI COMPARAR...

¡...! MA... MASHI- RO...

...ME IMPORTA MÁS EL MANGA.

HABRÍA CERRADO LOS OJOS... O ME HABRÍA MARCHADO UNOS MINUTOS...

¿Y CUANDO TUVIERA QUE IR AL BAÑO? NOS HABRÍAMOS VISTO.

YA, PERO CUANDO TERMINARA EL HORARIO DE VISITAS ME HABRÍAN ECHADO DE TODAS FORMAS.

TÚ MISMA ME HAS DICHO QUE NO TE IRÍAS HASTA QUE TE DIJERA QUE NO VOY A DIBUJAR.

AL FINAL NOS HEMOS VISTO...

¡...!

SEGUIRÉ DIBUJANDO. NO TE PREOCUPES POR MÍ, EN SERIO.

PERDONA.

NO SÉ NI QUÉ DIGO...

POTOF...

PUES SÍ. LA REDACCIÓN ESTÁ REVOLUCIONADA.

¿ASÍ QUE LOS ASHIROGI-SENSEI VAN A TENER QUE PONER LA SERIE EN PAUSA...? Y JUSTO CUANDO EN EL NÚMERO 32 LES HABÍAN DADO INTRODUCCIÓN A COLOR... QUÉ PENA.

NIIZUMA

PERO HA CAÍDO ENFERMO. NADA QUE HACER.

TENÍA GANAS DE LUCHAR CON ELLOS.

YO QUE HABÍA PENSADO UNA HISTORIA BUENÍSIMA PARA NO PERDER ANTE LA "INTRO" A COLOR DE TRAP...

¿EH? ES... ¡ESPERA! VALE, VOY CONTIGO.

YAKUSA, ¿EH? PUES ALLÁ VOY. ESTA SEMANA ME SOBRA TIEMPO.

SÍ, EL HOSPITAL MUNICIPAL DE YAKUSA.

PUES... CREO QUE DIJERON EL MUNICIPAL DE YAKUSA.

ME GUSTARÍA IR A VISITARLE. ¿SABES EN QUÉ HOSPITAL ESTÁ?

GENIAL, PORQUE YO NO SABRÍA LLEGAR.

ZIUUUUN

? EL MANGA ES GENIAL.

S... ¿SÍ?

SHUJIN.

AGH, PERO SI AL FINAL JOE ACABA CONSUMIENDO TODAS SUS FUERZAS Y SE...

POR FAVOR, DEJA DE DIBUJAR MANGA.

ME ESPERAN MIS LECTORES. DEBO HACERLO.

ZUS

TAN...

BLAM

BLAM

ENTONCES, NI SIQUIERA AZUKI HA PODIDO PARARLE...

¿EH?

CREO QUE ME SIENTO UN POCO COMO JOE CUANDO ENFILÓ EL CAMINO HACIA SU ÚLTIMO COMBATE.

¡SI ERES DE VERDAD SU AMIGO, DEBERÍAS HABERLE PARADO LOS PIES! ¡¿ESTÁS TONTO O QUÉ?!

...

ESTOY REALMENTE MOTIVADO, ¿SABES? TRÁEME LOS MANUSCRITOS, ANDA.

SI QUIERES QUE TE PERDONE, TRÁEME LAS PÁGINAS LO ANTES POSIBLE.

POR TU CULPA SE HA IDO AL TRASTE LO DE NO VERNOS HASTA QUE SE CUMPLA NUESTRO SUEÑO.

SABÍA QUE HABÍA SIDO COSA TUYA...

VALE.

¡¡SIENTO HABÉRSELO LARGADO A AZUKI!!

¡TÚ GANAS, TE LOS LLEVARÉ! ¡NO INTENTARÉ PARARTE MÁS! ¡TE AYUDARÉ!

...

PAL DE YAKUSA

?

URGH... ¡MAMÁ!

MORITAKA.

VALE...

YA QUE NOS HEMOS VISTO, ¿POR QUÉ NO PASAS...?

EHM... ¿ÍBAMOS JUNTOS EN SECUNDARIA... Y SOMOS AMIGOS... BUENO... NOVIOS... ¿NO?

SÍ...

MIHO AZUKI, UN PLACER.

ES MI MADRE.

ES...

¿CÓMO QUE "YA"?

YA...

AUNQUE NO SÉ SI TANTO ESTÍMULO ES BUENO PARA TU ENFERMEDAD, LA VERDAD. AISH...

QUÉ CHICA MÁS GUAPA, MORITAKA. NO SÉ SI TE LA MERECES, CHICO.

AY, PUES NO SÉ QUÉ DECIR...

VA... VALE...

TÚ ENCÁRGATE DE VIGILARLE, MIHO, POR FAVOR. ESTE TOZUDO ES CAPAZ DE DECIR QUE QUIERE DIBUJAR MANGA EN EL HOSPITAL.

...

TU MAMÁ ES MUY AMABLE.

LAS APARIENCIAS ENGAÑAN...

YA SÉ QUE ACABAS DE LLEGAR, MAMÁ, Y LO SIENTO, PERO... ¿PODRÍAS DEJARNOS SOLOS?

CLARO, CLARO. LLÁMAME SI NECESITAS ALGO.

FRUS

ASÍ SOMOS LOS HOMBRES.

...

IMPOSIBLE...

VAMOS A INTENTAR CONVENCERLE ENTRE LOS DOS.

AZUKI, NO ME CREO QUE NO SIENTAS ABSOLUTAMENTE NADA VIÉNDOLE ESFORZARSE DE ESTA MANERA.

FUISTE TÚ QUIEN DIJO QUE INTENTARA PARARLE... Y AHORA ME DICES LO CONTRARIO...

PE... PERO EL DOCTOR DICE QUE DEBE GUARDAR REPOSO...

LO ESTÁ DANDO TODO Y ME GUSTARÍA DEJARLE DIBUJAR CUANTO QUIERA...

...

SHUJIN, ¿YA VIGILAS SI VIENEN ENFERMERAS O NO?

¿EH? SÍ... PERO ME DA MÁS MIEDO MIYOSHI QUE ELLAS.

ESTÁ TAN GUAPO CUANDO TRABAJA...

BIEN PENSADO, ES LA PRIMERA VEZ QUE VEO A MASHIRO DIBUJAR MANGA.

¿POR QUÉ? MEJOR ENSEÑÁRSELAS PARA DEJARLE TRANQUILO; QUE SEPA QUE LLEGAREMOS A LA ENTREGA A TIEMPO.

¡ES MIU-RA!

SÍ...

TAM-BIÉN... ES VER-DAD...

EL CAPÍTULO 18 YA ESTÁ ENTINTADO. Y EL COLOR DEL 19 ESTÁ TAMBIÉN ENCARRILADO.

BUE-NAS TAR-DES.

...

¡ES-CON-DE LAS PÁ-GI-NAS!

NO FALLARÉ EN NIN-GUNA ENTRE-GA.

PUEDO TRABAJAR DESDE EL HOSPITAL. TÚ TRAN-QUILO.

ENTONCES, EL 18 SE PODRÁ PUBLICAR ENTERO...

MI... MI TRABAJO AHORA CONSISTE EN PARAR-LE LOS PIES...

LO MÁS IMPORTAN-TE ES EL MANGAKA, NO SU OBRA; ME PARECE DE CAJÓN. NO HAGAS CASO DEL AUTOR, SINO DE SU MÉDICO.

PERO NO PUE-DO...

LA VERDAD ES QUE VIÉNDOLE TAN MOTI-VADO DAN GANAS DE CON-CEDERLE LO QUE QUIERE.

LA OPERA-CIÓN ES SOLO UN DÍA... LA RECU-PERA-CIÓN, DOS O TRES... IGUAL SÍ QUE PUEDE...

¡FINALIZADO!

BAKUMAN. VOL. 6
"PROCESO DE CREACIÓN
PÁGINA 46" P. 50-51

CUMPLIREMOS NUESTRO SUEÑO.

YO CONFÍO EN TI.

SIGAMOS ADELANTE, MASHIRO. ESTOY SEGURA DE QUE PODRÁS DIBUJAR SIN DESCANSO.

SÍ...

PÁGINA 47: CONTRADICCIONES Y MOTIVOS

YAKUSA

AHORA CUALQUIERA LE DICE QUE PARE DE DIBUJAR...

...

DIME.

AZUKI.

ガタッ

...

¡PERDONA!

YA ESTOY MEJOR.

!

MASHIRO, TAKAGI, DEJADME SER SINCERO...

EN LA REDACCIÓN LO ESTÁN PREPARANDO TODO PARA DEJAR LA SERIE EN EL AIRE A PARTIR DEL CAPÍTULO 19.

¡NO!

NI HABLAR.

NO QUIERO PARAR AHORA.

ASÍ COMO QUE PIENSO SINCERAMENTE QUE PUEDES DIBUJAR A PESAR DE ESTAR INGRESADO.

DE ACUERDO. NADA MÁS VOLVER LES CONTARÉ LO QUE OCURRE.

¡SÍ, POR FAVOR!

¡ESO SERÍA GENIAL!

EN UNOS 20 MINUTOS TERMINA EL HORARIO DE VISITAS... SAIKO, POR FAVOR, NO HAGAS TONTERÍAS Y DESCANSA AL MENOS POR LA NOCHE, ¿VALE?

UNA COSA: ¿VERDAD QUE MAÑANA TENDRÁS EL RESTO DEL STORY DEL CAPÍTULO 19 PARA QUE PUEDA PASARLO A LIMPIO?

AL NO TENER QUE IR AL INSTITUTO PODRÉ DORMIR BASTANTE.

CLARO. ACABARÉ EL COLOR EN UNAS HORAS.

ESO, ESO.

APROVECHAD ESTE CUARTO DE HORILLA PARA ESTAR A SOLAS, SAIKO.

TÚ NO TE PREOCUPES: ENTRE ÉL Y YO LO TENDREMOS TODO PREPARADO LOS SÁBADOS PARA QUE PUEDAS TRABAJAR A GUSTO.

NO HACE FALTA QUE LO PASES A LIMPIO, HOMBRE. LOS STORYS DE TAKAGI SE ENTIENDEN PERFECTAMENTE.

MUY BIEN. ¿NOS VAMOS YA?

¿HUM? SON 20 MINUTOS MÁS, ¿NO? YA NO VIENE DE AHÍ.

¡TSK! TAMPOCO HACE FALTA DECIR SEGÚN QUÉ COSAS...

...

NI SIQUIERA PUEDES ESCRIBIRME.

PORQUE ME PREOCUPAS...

¿POR?

VENDRÉ TODOS LOS DÍAS QUE PUEDA COMBINÁRMELO.

...PERO ESTOY MUY CONTENTA DE VERTE.

SÉ QUE SUENA A CONTRADICCIÓN CON LO QUE DIGO SIEMPRE...

¡...!

SALES AL JARDÍN INTERIOR Y PUEDES ENCENDERLO; LO HACE TODO EL MUNDO. ADEMÁS, NO HACE FALTA QUE TE PREOCUPES POR MÍ.

BASTA CON SALIR UN SEGUNDO DEL HOSPITAL PARA COGER COBERTURA...

CLIC

GRACIAS. A VER SI MEJORAS PRONTO.

CLARO...

...SOLO HASTA QUE ME DEN EL ALTA.

MASHI-RO.

RECOR-DAREMOS ESTE MOMENTO CON CARIÑO...

CREO QUE ESTE PERÍODO EN EL HOSPITAL IRÁ MUY BIEN, AZUKI.

A VER SI ME VOY A TENER QUE ALEGRAR DE HABER ENFER-MADO...

PUEDE QUE, AHORA QUE NOS HEMOS VISTO, VOLVER A LA SITUA-CIÓN ANTERIOR UNA VEZ SALGA DE AQUÍ SEA AÚN MÁS DIFÍCIL.

PERO EL HECHO DE QUERER VERTE LO ANTES POSIBLE Y DE ESTAR CONTIGO ME DA FUERZAS PARA SEGUIR ADELANTE.

CLAP

¿TE DISGUSTA LA IDEA DE NO VERNOS HASTA CUMPLIR NUES-TRO SUEÑO?

HASTA QUE SE CUMPLA NUESTRO SUEÑO...

LO SÉ...

PARA NADA. AUN-QUE A VECES ES DURO, PARA QUÉ MENTIRTE.

... ¿PERO QUÉ DICES, MIURA?

¡QUE CREO QUE PUEDE HACERLO! ¡NO QUISIE-RA QUE PAUSARAN LA SERIE!

ACCIÓN
...ONEN JUMP
JUMP SQ
V JUMP

¡GRACIAS! ¡GRACIAS!

EN FIN, SUPONGO QUE PODEMOS PUBLICAR EL CAPÍTULO DEL NÚMERO 31 ENTERO MIENTRAS LOS AYUDANTES PUEDAN TERMINARLO A TIEMPO.

PUES NO PODEMOS DECIRLE QUE SIGA TRABA-JANDO SI EL MÉDICO SE LO HA PRO-HIBIDO.

NO ES ESO...

¿ME ESTÁS DICIENDO QUE QUIERES OBTE-NER EL PERMISO DEL MÉDICO PA-RA QUE PUEDA DIBUJAR?

...

MAÑANA IRÉ CONTIGO AL HOSPITAL. NO ME FÍO DE TI.

LUEGO YA SOLO QUEDARÁ OBTENER EL PERMISO DEL MÉDICO.

BUENO... ASÍ VERÁ CON SUS PROPIOS OJOS HASTA QUÉ PUNTO ESTÁ MOTI-VADO EL CHICO...

ESTÁ BIEN...

SÍ, PERO INSISTO: DENTRO DE LO RAZONABLE.

¿DE VERAS?

ES CIERTO QUE, EN CIERTOS CASOS, ES POSITIVO DEJAR QUE EL PACIENTE HAGA LO QUE DESEA HACER, PERO SIEMPRE DENTRO DE LO RAZONABLE.

EL PACIENTE INSISTE EN QUE NO DIBUJAR LE PROVOCA ESTRÉS, LO QUE AFECTA A SU ESTADO DE SALUD.

AL DÍA SIGUIENTE.

GRACIAS POR ACUDIR, DOCTOR.

HOLA.

CVAC

...

¿QUÉ ME DICE?

NO ESTOY HACIENDO NINGUNA TONTERÍA.

BUENOS DÍAS TENGA, SEÑORA. DISCULPE LAS MOLESTIAS.

...

¿EH? ¿TIEMPO SIN VERSE? ¿DÓNDE?

ESO AHORA NO VIENE A CUENTO.

CLAS

CUÁNTO TIEMPO SIN VERNOS. GRACIAS POR DARLE UNA OPORTUNIDAD A MI HIJO.

¡MORITAKA! ¡ESTÁS EN EL HOSPITAL! ¡PARA DE DIBUJAR MANGA!

LAMENTO MUCHO LO OCURRIDO. EN PARTE ES RESPONSABILIDAD NUESTRA.

PARA NADA.

FRUS FRUS

...

COMO SI PUDIERA CONTROLARSE ESO.

SEÑORA, EL MÉDICO ACABA DE DARLE PERMISO, SIEMPRE QUE NO SE SOBREPASE.

DESCANSARÉ UN RATO...

TIENES RAZÓN; NO DEBO FORZARME MUCHO.

...

PERO ES QUE YO...

QUE DEBEMOS DEJARLE SEGUIR SU PROPIO CAMINO.

MI MARIDO DICE QUE YA NO ES UN NIÑO.

¿PUEDO HABLAR UN MOMENTO CON USTED, SEÑOR SASAKI?

ESTÁ PREVISTO QUE *TRAP* NO SE PUBLIQUE EN EL NÚMERO 32. TENGO QUE VOLVER A HABLAR CON EL VICEEDITOR JEFE.

QUIERO QUE ESTÉS TÚ TAMBIÉN, MIURA.

VÁMONOS, MIURA.

MASHIRO, NO HAGAS NINGUNA TONTERÍA, ¿ME OYES? PERDONA LAS MOLESTIAS.

PUEDE ESTAR TRANQUILA; NO DEJARÉ QUE ESTO SE SALGA DE MADRE.

MUCHAS GRACIAS.

GRACIAS POR TODO.

¡AH! ¡VALE!

¿CÓMO TE HAS ENTERADO? HABÍA PROCURADO QUE NO TE LLEGARA LA NOTICIA.

CREO QUE DEBERÍA IR A VISITAR A ASHIROGI EN EL HOSPITAL, YOSHIDA.

NO REVELARÉ MIS FUENTES PORQUE TE LAS CARGARÍAS, QUE TE CONOZCO. NI SIQUIERA NIIZUMA CONTESTA A MIS LLAMADAS, ¿VALE?

KAZUYA HIRAMARU

Prohibido el paso a vendedores a domicilio y a Yoshida.

RIC
RIC
RIC
RIC

ZUS...

¡NO LO SABÍA!

FLAS

PE... ¡PERO CÓMO TE PASAS...! ¡AHORA NI SIQUIERA SOY CIVILIZADO?!

NO TE CONFUNDAS: UN MANGAKA NO ES UNA PERSONA CIVILIZADA.

DIME EN QUÉ HOSPITAL ESTÁ.

EL CASO ES QUE HE ESTADO EN EL ESTUDIO DE LOS ASHIROGI-SENSEI Y LES CONOZCO PERSONALMENTE, ¿VALE? ES DE RECIBO, DE PERSONA CIVILIZADA, IR A VISITAR AL CHICO AL HOSPITAL, ¿NO TE PARECE?

EN FIN, IREMOS A PRINCIPIOS DE LA SEMANA QUE VIENE. ¡PERO YO IRÉ CONTIGO Y NOS MARCHAREMOS RÁPIDO! ¡¿ENTENDIDO?!

¡BUF, MIRA QUE ERES PLASTA! BAH, FIJO QUE CUANDO ME LARGUE ENCUENTRA LA MANERA DE AVERIGUAR EL HOSPITAL Y TE VAS.

FLAS

JO... PERO QUIERO ESTAR UN RATO...

¡¿PESADO!!!

CLARO... SOY UN PÁJARO ENJAULADO... O, MEJOR DICHO, TU PERRITO FALDERO... UN ESCLAVO ENCADENADO A UNOS GRILLETES... YA NI SIQUIERA SE ME PERMITE ACTUAR COMO SER HUMANO...

SÍ, Y AIDA ME HA DICHO QUE SU SERIE ENTRA EN PAUSA A PARTIR DEL NÚMERO 32.

¿TE HAS ENTERADO DE QUE MASHIRO ESTÁ EN EL HOSPITAL?

¡NO, JO, ES QUE NO PUE-DO! ¡VOY JUSTÍSIMO! ¡DEJA DE TENTARME DE ESTA MANERA, HOMBRE!

¿EH? ¡¿AOKI IRÍA...?!

¡JA, JA, JA! ¡PERDONA, MACHO!

CÓMO ERES... SEGURO QUE LA SEÑORITA AOKI SE APUNTA SI LA AVISAS.

QUÉ VA... VOY SIEMPRE MUY JUSTO. NO TENGO NADA DE MAR-GEN...

¿EN PAUSA AHORA QUE POR FIN EM-PIEZA A IRLES BIEN? QUÉ MALA PATA, TÍO... SE VE QUE NIIZUMA YA HA IDO A VISITARLE. YO TENGO PREVIS-TO IR EL LUNES, ¿TE APUNTAS?

Y YO QUE CREÍA QUE NO IBAN NI SIQUIERA A TOCARSE HASTA EL MA-TRIMONIO.

SÍ, Y ENCIMA PUSO SU MANO SOBRE LA DE MASHIRO...

¿MIHO?

78

PUEDE QUE EL AMOR EXTREMO CONSISTA EN ACEPTAR A TU PAREJA TAL COMO ES Y AYUDARLE A CUMPLIR SUS DESEOS, QUIÉN SABE...

YA... EL HECHO ES QUE QUEDÓ DEMOSTRADO QUE SAIKO LE GUSTA UN MONTÓN, POR SI HABÍA ALGUNA DUDA.

¿QUÉ TENDRÁ EN LA CABEZA? OTRA LE HABRÍA PARADO LOS PIES.

NO ENTIENDO NADA. SI REALMENTE LE GUSTA TANTO, DEBERÍA HABERLE DETENIDO...

EL CASO ES QUE HOY SÍ LE HA VISTO...

DE HECHO, ME HACE PENSAR EN SI REALMENTE LE QUIERE O NO.

EN FIN, RECONOZCO QUE LO DE NO VERSE HASTA CUMPLIR SU SUEÑO ES SIGNO DE FORTALEZA. YO NO AGUANTARÍA SIN VER A LA PERSONA A LA QUE QUIERO.

AZUKI ES MUY FUERTE POR MUJER. ADEMÁS, AMA A SAIKO CON LOCURA.

PUES YO ME PREOCUPARÍA POR SU SALUD Y LE QUITARÍA LA IDEA DE LA CABEZA... ESTA MIHO ESTÁ UN POCO DESQUICIADA, LA VERDAD...

¡RECUPERA-MOS EL RITMO HABITUAL!

SE LO PODRÉ ENTREGAR MAÑANA A MASHIRO AUNQUE HAYA QUE HACER ALGUNOS CAMBIOS.

BUENO, YA ESTÁ EL STORY.

¿POR QUÉ TIENES TAN CLARO QUE SI SE BESAN SE VAN A SEGUIR VIENDO?

¡ESTÁS COMO UN CENCERRO!

¡AAAH! ¡NO ENTIENDES A LAS MUJERES, TAKAGI!

¡PARA EMPEZAR, ESOS DOS NO SE BESARÁN NUNCA!

LE HA VISTO, SÍ, ¿Y TÚ CREES QUE SEGUIRÁN ASÍ? IMAGÍNATE QUE SE BESAN EN EL HOSPI-TAL. ENTONCES YA NO HABRÍA MARCHA ATRÁS; TENDRÍAN QUE SEGUIR VIÉNDOSE.

HIRAMARU.

ESTE NO SE LEE LA *JUMP*, PERO BUENO.

TE PRESENTO A FUKUDA, EL AUTOR DE *KIYOSHI KNIGHT*.

ENCANTADO.

ZUG

FÍJATE A QUIÉN TENEMOS AQUÍ: AL "ESCAPISTA" HIRAMARU-SENSEI.

¡FUKUDA!

CLAS

SOY UN GRAN FAN TUYO, SENSEI. ¿PUEDES DARME TU NÚMERO Y DIRECCIÓN?

EL FAX QUE MANDÓ YOSHIDA ERA LA RISA.

¡JA, JA, JA!

JUSTO ESTÁBAMOS COMENTANDO QUE ES UN EJEMPLO PARA TODOS LOS MANGAKA.

...

NO VOY A DEJAR QUE ME GANÉIS.

ME SORPRENDES, MASHIRO. NO ESPERABA QUE PRETENDIERAS SEGUIR TRABAJANDO INCLUSO DESDE EL HOSPITAL.

CUÁNTO ALBOROTO HAY POR AQUÍ, ¿NO? CUALQUIERA DIRÍA QUE ES UN HOSPITAL.

81

¡EDITOR JEFE!

¿OS IMPORTA SALIR DE LA HABITACIÓN? EXCEPTO TAKAGI Y MASHIRO, POR FAVOR.

SOLO VIENDO SU CARA PODEMOS ADIVINAR QUE ESTO SÍ NOS INCUMBE, ¿VALE?

MIURA ES EL EDITOR DE TRAP...

...

PORQUE LO QUE VOY A COMENTAR NO OS INCUMBE.

CLAC

¿POR QUÉ TENEMOS QUE SALIR?

¿QUÉ HACE EL JEFAZO AQUÍ...?

¡...!

"COLEGAS" Y A LA VEZ "RIVALES". COMO DEBE SER.

¿CO-LEGAS...? VENGA YA.

LOS ASHIROGI MUTO SON COLEGAS NUESTROS.

TÚ TAMBIÉN PUEDES QUEDARTE, AZUKI.

CLAC...

COMO QUIERAS. QUEDAOS SI QUERÉIS.

ES- PERO QUE NO SEA...

¿ESO ES LO QUE PROVO- CARÁ LO QUE VIENE A DECIR?

OS RECUERDO QUE ESTAMOS EN UN HOSPITAL. PROMETEDME QUE NO ARMARÉIS FOLLÓN.

ANOCHE CELEBRAMOS UNA REUNIÓN PARA HABLAR DEL FUTURO DE FALSO DETEC- TIVE TRAP.

PUES LO ES... LO QUE TE IMA- GINAS O TODAVÍA PEOR SI CABE.

¡ESO! ¡¿POR QUÉ HASTA ABRIL?! ¡ES UN DESPROPÓSITO!

YA SERÍA DURO TENER QUE PARAR HASTA SALIR DEL HOSPITAL... ¿POR QUÉ HASTA ABRIL?

CLANC

¿POR QUÉ?

¿POR QUÉ? PO...

TIENES RAZÓN, MASHIRO. MERECES CONOCERLO.

QU... QUIERO SABER EL MOTIVO POR EL QUE HAN TOMADO ESTA DECISIÓN.

LO... LO SIENTO... PERDÓNAME... NO PODÍA DECIR NADA TODAVÍA...

¡¿PERO NO ME DIJISTE EL SÁBADO QUE PODÍA PASAR A LIMPIO ESTE STORY, MIURA?!

...ES LA MUERTE DE TARO KAWAGUCHI.

EL MOTIVO...

¡FINALIZADO!

ES UN MODO DE PENSAR UN POCO ANTICUADO, Y ME PARECE MUY LOABLE PUGNAR POR SEGUIR ADELANTE.

EL CASO ES QUE NOSOTROS NO SIEMPRE LO EXIGIMOS ASÍ.

¡NI UNA SOLA VEZ SE SALTÓ UNA ENTREGA! ¡NI UNA SOLA VEZ DESCANSÓ! ¡Y ESO ERA SU GRAN Y ÚNICO ORGULLO!

¡DIBUJÓ TUMBADO CUANDO UN FUERTE LUMBAGO LE IMPEDÍA MANTENERSE SENTADO!

¡TARO KAWAGUCHI LLEGÓ A DIBUJAR CON 40° DE FIEBRE MIENTRAS TRABAJABA EN SU SERIE! ¡CON GOTERO INCLUIDO!

CLAC

NO DESCANSARÉ... ¡DIBUJARÉ!

EL CASO ES QUE NOSOTROS NO SIEMPRE LO EXIGIMOS ASÍ.

EN EL CASO DE QUE EN LA REDACCIÓN LO TUVIÉRAMOS TODO PREPARADO PARA PUBLICAR UNA HISTORIA HECHA A LA DESESPERADA.

¡SI SIGO DIBUJANDO, NO HABRÁ QUE PAUSAR NADA!

¡SI SOMOS LIBRES DE TRABAJAR, LO SOMOS Y PUNTO!

¿SABES POR QUÉ? PORQUE LA PRIORIDAD ABSOLUTA ES LA SALUD DEL AUTOR.

UN AUTOR ES LIBRE DE SEGUIR TRABAJANDO SEAN CUALES SEAN LAS CIRCUNSTANCIAS EN LAS QUE SE ENCUENTRA, PERO CUANDO ES OBVIO QUE NECESITA DESCANSAR, LE OBLIGAMOS A HACERLO.

QUE SIGAS DIBUJANDO REPRESENTARÁ UNA MOLESTIA PARA NOSOTROS.

VOY A SER CLARO.

ASÍ ES.

Y AUNQUE LO HAGA TENDRÁ QUE QUEDARSE DE BRAZOS CRUZADOS HASTA ABRIL, ¿NO?

DEBES RECUPERARTE. ESO ES LO PRIMERO.

¡PERO BUENO...!

Y SIN EMBARGO, TAMBIÉN HEMOS VISTO QUE LLEVAR UNA SERIE SEMANAL ES PRÁCTICAMENTE INCOMPATIBLE CON IR AL INSTITUTO...

EIJI NIIZUMA, EL BACHILLER GENIAL, DEMOSTRÓ CON SU ÉXITO QUE INCLUSO ESTUDIANTES DE BACHILLERATO PUEDEN LLEVAR UNA SERIE.

...

LE ESTÁ EXIGIENDO QUE SE CURE Y ADEMÁS LE DICE QUE, INCLUSO RECUPERADO, NO LE PUBLICARÁ NADA DURANTE UN TIEMPO.

MUY BIEN. DEJARÉ EL INSTITUTO.

¡SAIKO!

¡¿AH, NO?! ¡PERO NO PUEDEN TOCAR LO QUE YA ESTÁ EMPEZADO, Y ESA SERIE LA INICIÓ USTED MISMO! ¡TOMAR UNA DECISIÓN COMO ESTA ES UNA IRRESPONSABILIDAD POR SU PARTE!

EL ERROR FUE NUESTRO, POR LO QUE ESTAMOS ARREPENTIDOS. NUNCA MÁS ACEPTAREMOS ALGO SIMILAR.

¿Y POR QUÉ HASTA ABRIL? ME PARECE MUY RARO.

SE VE QUE ES LO QUE DECIDIERON EN LA REUNIÓN EXTRAORDINARIA DE AYER LUNES.

SHUE

¡¿HASTA ABRIL?!

...Y MASHIRO ERAN...

TARO KAWAGUCHI...

¿QUE SE NOS MURIERA? PERO QUÉ BRUTO...

DE HECHO ME HICE LA MISMA PREGUNTA Y LO HABLÉ CON EL "VICE". SOLO ME DIJO QUE "SERÍA UN MARRÓN QUE SE NOS MURIERA".

NO ME REFIERO A ESO...

?

HOMBRE, RECONOZCO QUE ES UN BUEN PALO, SÍ.

PE... PERO ESOS DOS CHAVALES NUNCA LO ACEPTARÁN... AL CONTRARIO, ESTOY SEGURO DE QUE MASHIRO EMPEORARÁ CUANDO LO OIGA.

¿SERÍA UN MARRÓN QUE SE NOS MURIERA...? CREO QUE LO ENTIENDO...

NO.

...

SI TARO KAWAGUCHI NO HUBIESE SIDO MI TÍO, NO ESTARÍAMOS TENIENDO ESTA CONVERSACIÓN. ¿ME EQUIVOCO?

STAP

!

QUÉ CABR...

FLAAAS

YO ME VOY, MIURA. ¿Y TÚ?

ME QUEDO.

BIEN...

POR OTRO LADO, SI TE RECUPERAS Y CONSIGUES GRADUARTE, TE PROMETO QUE LA SERIE SE REANUDARÁ.

REPITO: PODÉIS DIBUJAR, PERO NO PUBLICARÉIS HASTA ABRIL.

FRS

NO TENGO NI VOZ NI VOTO... ¡NO HE PODIDO HACER NADA, LO SIENTO!

¡PERDONADME, TAKAGI Y MASHIRO!

¡MIURA...!

¿PERO POR QUÉ HASTA ABRIL...?

¡MALDITA SEA!

FLAS

SÍ, Y DE MI IMPOTENCIA...

¡TÚ NO TIENES LA CULPA, SAIKO! HA SIDO DECISIÓN DEL EDITOR JEFE...

SHUJIN, MIURA, AZUKI... SI YO NO ME HUBIESE PUESTO ENFERMO... PERDONADME...

SOY YO EL QUE DEBE DISCULPARSE.

DEJARÉ DE DIBUJAR PARA LA *JUMP* HASTA QUE RECONSIDEREN LA DECISIÓN.

BLAAAAAM

701 NIIZUM

¡¡¡OOOH!!!

ESTOY DE ACUERDO. NO ES JUSTO QUE EL EDITOR JEFE SE LAS HAGA PASAR TAN CANUTAS A LOS ASHIROGI-SENSEI.

¡ENTEN-DIDO...!

PERO YO SOLO NO TENGO MU-CHO PODER PARA HACER PALANCA.

¿A QUE NO?

POR ESO MISMO ACTUAREMOS SIN QUE SE ENTEREN DE NADA Y SOLO SE LO DIREMOS CUANDO EL JEFE RECA-PACITE.

YA VEO.

¿HUM? ¿PERO HACIENDO ESO NO PRESIO-NARÍAMOS A LOS ASHIRO-GI-SENSEI?

PICCC

¿SEGURO?

¡SI VAN A PAUSAR *TRAP*, YO TAMBIÉN DESCAN-SARÉ!

ES UN DESPRO-PÓSITO.

¡OÍDO BARRA-AAAAA!

PUES ENCÁRGATE TÚ DE ÉL Y YO DE NAKAI.

CLARO, HIRAMARU-SENSEI SE MUERE DE GANAS DE TOMARSE UN DESCANSO. ¡YO SÉ SU TELÉFONO!

¡Y NO SOLO ESO! ¡POR CÓMO LE VI, ESTOY SEGURO DE QUE HIRAMARU-SENSEI SE APUNTARÁ TAMBIÉN!

¡OOOH! ¡TODOS LOS FUKUDAS PARTICIPANDO EN UN BOICOT! ¡MOLA MAZO!

YO ME ENCARGO DE CONVENCER A NAKAI Y A AOKI.

¿QUE AOKI TAMBIÉN ESTARÁ?

TE TENGO DICHO QUE VOY SIEMPRE CON EL AGUA AL CUELLO, ¿VALE? NO PUEDO...

¿EH?

¿?!

¿QUE NO DISCUTA Y VAYA...?

¿POR QUÉ PROPONES REUNIRNOS EN CASA DE NIIZUMA...?

¿QUÉ PASA, FUKUDA?

BUENO, SI INSISTES... ¡DEJA QUE ME AFEITE Y VOY PARA ALLÁ!

SKLAC

¡UN BOICOT! ¡ESTUPENDO! SO... SOY UNO DE LOS VUESTROS, ENTONCES... ¡ESTABA ESPERANDO OÍR ESO!

EL FUTURO DE REPENTE SE ME ANTOJA BRILLANTE Y DIVERTIDO.

2-J KAZUYA HIRAMARU

Prohibido el paso a vendedores a domicilio y a Yoshida

ESTO ESTÁ MUY TRANQUILO, ¿NO?

BUE-NAS.

TCHAK

PULL

TIENE RAZÓN. EL JEFE NO VA A CAMBIAR DE OPINIÓN POR MUCHO QUE NOS QUEJE-MOS.

DÉJALO, TÍO. TE VAN A ECHAR.

¡NO ME PARECE BIEN ACEPTAR SEMEJANTE DECISIÓN SIN MÁS! DEBERÍAMOS IR TODOS JUNTOS A QUEJARNOS.

ES TAN INJUS-TO...

NOS HEMOS ENTERADO DE LO DE LOS ASHIROGI.

¡¿UN BOI-COT?!

ES FUKUDA...

♪

♪

¡NI SE TE OCURRA!

¿ADÓNDE VAS AHORA?

SEGURO QUE HA SIDO IDEA DE FUKUDA. AUNQUE...

¡ES VERDAD! ¿QUÉ TIENES EN LA CABEZA, TÍO?

¿EH? HOMBRE, YA QUE HAN DICHO LO DEL BOICOT, HABRÁ QUE INFORMAR AL EDITOR JEFE, DIGO YO.

ENTONCES, ESO SIGNIFICA QUE ESTÁN TODOS EN EL MISMO SITIO.

NIIZUMA Y HIRAMARU SE HAN PUESTO AL TELÉFONO, HAS DICHO.

SÍ.

VISTO ASÍ, ES VERDAD.

¡TSK!

¡NUESTRO TRABAJO CONSISTE EN HACER QUE LOS DIBUJANTES DIBUJEN! ¡¿CÓMO VAMOS A ACEPTAR UN BOICOT ASÍ POR LAS BUENAS?!

CLAAAAAC

¿QUÉ TIENE QUE VER ESO? CREO QUE DEBO IR PARA IMPEDIR QUE OS DEJÉIS LLEVAR.

TÚ MEJOR QUE NO VENGAS, AIDA, QUE ESTÁS DE PARTE DEL CAPO.

TODO ESTO INCUMBE A TRAP, POR LO QUE VOY TAMBIÉN...

VOY A HABLAR CON ELLOS. PREGÚNTALE DÓNDE ESTÁN, ANDA.

ESE TÍO ES DE LOS QUE LA LÍAN; YO LE AVISARÍA...

¿Y YOSHIDA, EL DE OTTER'S?

TAP-TAP

¡Y HIDEOUT ES MÍA! ¡ME APUNTO!

YO TAMBIÉN VOY, QUE POR ALGO SOY EL EDITOR DE CROW Y KIYOSHI.

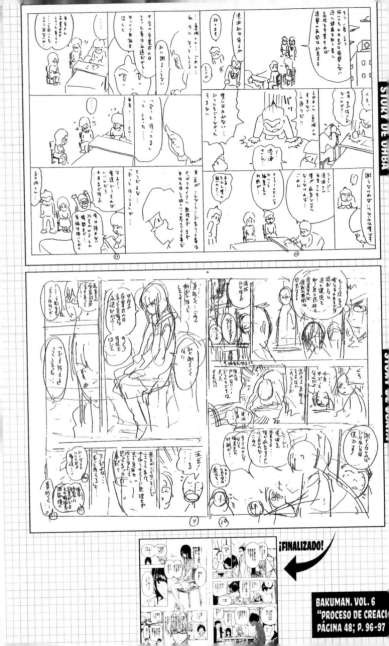

¡FINALIZADO!

¡MASHIRO NO QUIERE ESTAR CON LOS BRAZOS CRUZADOS, Y NADA LE IMPIDE DIBUJAR! TÚ MISMO LE VISTE EN SU HABITACIÓN EN EL HOSPITAL, YOSHIDA.

¿PRETENDÉIS EN SERIO DEJAR DE DIBUJAR?

PÁGINA 49: RECONSIDE-RACIONES Y LLAMADAS

...

CLARO QUE NO. DE HECHO, LOS DOS SE SENTIRÁN CULPABLES Y RES-PONSABLES DE LO OCURRIDO. POR ESO CREO QUE MASHIRO NO DEBE SABER NADA DEL TEMA; AL FIN Y AL CABO, ESTÁ ENFER-MO.

NO CREO QUE MASHIRO SE ALEGRE DE QUE TODOS DEJÉIS DE TRABAJAR SOLO PORQUE TRAP VAYA A TENER QUE QUEDARSE EN PAUSA DURAN-TE UNA TEMPO-RADA.

LA ECISIÓN ESTÁ OMADA.

EL CASO ES QUE, A MENOS QUE EL JEFE RETIRE LO DE LA PAUSA DE TRAP, LOS CUATRO AUTORES QUE ESTAMOS AQUÍ NOS NEGAMOS A TRABAJAR.

COMPLETAMENTE DE ACUERDO.

FÁCIL: HASTA QUE REGRESE *TRAP*.

¿Y HASTA CUÁNDO PENSÁIS DESCANSAR?

SRRRP

ES... ES VERDAD...

¿Y CÓMO VAIS A IMPEDIR QUE SE OS LARGUEN LOS AYUDANTES? ALGUNOS DE VOSOTROS NO PODRÉIS SEGUIR PAGÁNDOLES.

EXACTO.

¡¿EH?! ¡ENTONCES, SI *TRAP* SE QUEDA EN DIQUE SECO HASTA ABRIL, ¿VOSOTROS TAMBIÉN?!

¡TOMA YA! ¡AHÍ ESTÁ EL PODER QUE DA HABER VENDIDO 8,5 MILLONES DE EJEMPLARES ENTRE LOS PRIMEROS DIEZ TOMOS DE UNA SERIE...

...

EVIDENTEMENTE, SI LOS ASHIROGI-*SENSEI* LO NECESITAN, LES AYUDARÉ TAMBIÉN.

ESTOY CONTENTO DE DARLES BUEN USO.

YO PAGARÉ LA PARTE DE TODOS. ME SOBRA LA PASTA. NO ME SIRVE DE NADA TENER CIEN MILLONES DE YENES SI NO SÉ CÓMO GASTARLOS.

SRRRRP

SUENAN TREMENDA-MENTE CONVENCIDOS...

HABLAREMOS DE ESO TAN PRONTO COMO EL JEFE ADELANTE EL BARBECHO HASTA LA SALIDA DEL HOSPITAL.

NO VAMOS A CAER EN ESA TRAMPA.

ESO NI SE TE OCURRA... ¡NOS PONDRÍAN A TODOS DE PATITAS EN LA CALLE!

NO... ¡NO DIGAS TONTERÍAS!

¡NO SUELTES ESO AHORA, TÍO!

Y OTRA COSA. SI LA PAUSA SE PROLONGA MUCHOS MESES, NOS IREMOS A LA COMPETENCIA.

MOOOVE.

PLOF

?

¿SOIS CONSCIENTES DE LA SITUACIÓN, NAKAI Y AOKI?

ESO ME GUSTA MÁS.

BUF

EN FIN, LO QUE HARÉ SERÁ IR DIBUJANDO PARA TENER MATERIAL PREPARADO... LO QUE NO QUIERO HACER ES DEJAR DE DIBUJAR.

¿AH, SÍ? POBRECITO ME DARÍA MUCHA PEN ESPECIALMENTE PO TI, YUJIRO. SIEMPRE TE HAS PORTADO MI BIEN CONMIGO.

ZUUUUIIIIIN

NO IMPORTA.

¿EH...? ¡¿EH?! PE... PERO ESO SERÍA UN MARRÓN...

NO ES LO MISMO, NI DE LEJOS, QUE DEJE DE PUBLICARSE MOMENTÁNEAMENTE UN MANGA DE ÉXITO QUE LLEVA DOS AÑOS SERIALIZÁNDOSE, COMO CROW, Y QUE LO HAGA UNO QUE APENAS HA PUBLICADO DIEZ CAPÍTULOS Y OCUPA EL PUESTO 12° EN LAS ENCUESTAS, COMO HIDEOUT DOOR.

EN EL PEOR DE LOS CASOS, PODRÍAN TOMAR LA DECISIÓN DE CORTAR LA SERIE.

¡HOY ESTÁS QUE TE SALES!

¡FANTÁSTICO, SEÑORITA AOKI! ¡UAU!

ES INCREÍBLE, AOKI. ¡ME ENCANTAS!

TÍO, NO TE METAS...

ESTOY EN TOTAL DESACUERDO CON LA DECISIÓN QUE HA TOMADO.

SI EL EDITOR JEFE SE ATREVIERA A HACER ALGO TAN INJUSTO, ME IRÍA YO DE BUEN GRADO.

¿¡EH?!

BUENO, ¿Y POR QUÉ NO?

¡EH! ¡EH! ¡PARAD EL CARRO!

CLAAAANC

ME GUSTA. LE DIREMOS CLARAMENTE QUE VAMOS A PARAR.

NO TIENE NINGÚN SENTIDO SEGUIR HABLANDO CON VOSOTROS, LOS EDITORES DE MEDIO PELO. ¡VAYAMOS A HABLAR CON EL JEFE A VER QUÉ SE CUENTA!

111

OYE, MORITA-KA.

RIC RIC

HOSPITAL MUNICIP

SÍ...

RIC RIC

HE ESTADO ESCUCHANDO ALGUNA DE TUS CONVERSACIONES. ERES *MANGAKA*, ¿VERDAD?

NO, HOMBRE. ES QUE NO TENGO MUCHO SUEÑO, PORQUE DURANTE EL DÍA TAMBIÉN DUERMO.

¡AH, PERDONE! ¿LE HE DESPERTADO?

NO TE PREOCUPES POR MÍ, CHICO. ESTOY CONTIGO. ¡DALO TODO!

MUCHÍSIMAS GRACIAS.

LA JUVENTUD ES ALGO MARAVILLOSO.

¿EN SERIO? ¿SALIÓ EN PELÍCULAS? QUÉ PASADA.

YO DE JOVEN INTENTÉ SER ACTOR, ¿SABES? AL FINAL PARTICIPÉ EN VARIAS PELÍCULAS COMO SECUNDARIO, PERO NO TUVE MUCHO ÉXITO.

LO DI ABSOLUTAMENTE TODO Y NO ME ARREPIENTO DE NADA. VISTO AHORA, FUE LA MEJOR ÉPOCA DE MI VIDA; LA MÁS DIVERTIDA.

Y EN EL PEOR DE LOS CASOS, LA RESPONSABILIDAD FINAL ES MÍA COMO EDITOR JEFE.

SI FALLÁIS EN ESO, LA RESPONSABILIDAD ES VUESTRA.

LO SABEMOS.

VUESTRO TRABAJO COMO EDITORES CONSISTE EN CONSEGUIR LOS ORIGINALES...

...

LA DECISIÓN ESTÁ TOMADA.

PE... PERO ES QUE... SI RETIRA LO DE LA PAUSA FORZOSA DE *TRAP*, LOS CUATRO VAN A SEGUIR TRABAJANDO CON NORMALIDAD...

ES LO ÚNICO QUE PUEDO DECIROS.

HACED TODO LO POSIBLE PARA QUE NO FALLE NINGUNA DE ESAS CUATRO SERIES.

CLAAANC

?

Y JUSTO DESPUÉS HABRÁ UN TRASLADO MASIVO DE GENTE EN LA EDITORIAL... INCLUIDOS NOSOTROS.

NO HA FUNCIONADO. VERÁS QUÉ POLLO SE MONTA CON EL NÚMERO 32...

¡...!

CREO QUE DE ESA MANERA HABRÍA ALGUNA POSIBILIDAD DE CONVENCER A NIIZUMA Y LOS DEMÁS.

¿NO PODRÍA POR LO MENOS RE-CAPACITAR UN POCO Y CAMBIAR LAS CONDICIONES? EN VEZ DE PROHIBIR PUBLICAR A LOS ASHIROGI MUTO HASTA QUE SE GRADÚEN, QUE SEA HASTA QUE MASHIRO SALGA DEL HOSPITAL, POR EJEMPLO.

EDITOR JEFE.

...

LA DECISIÓN ESTÁ TO-MADA.

LA VERDAD ES QUE DA QUE PENSAR: NO SÉ SI CONVIENE QUE LOS MANGAKA SE CONOZCAN ENTRE ELLOS.

ES UNA MANERA DE VER-LO, SÍ.

¡AFFFH! ME TOCARÁ IR A CONVENCER A NAKAI...

PUES TÚ AÚN TIENES SUERTE, AIDA, PORQUE ALGU-NA POSIBILIDAD TIENES. HIRA-MARU SEGURO QUE PASA DE TODO...

AH... VALE. ...

¡Y PREPARAD ALTERNA-TIVAS POR SI ACASO NO LO CONSE-GUÍS!

¿QUÉ ESTÁIS HACIENDO? ¡DADLO TODO PARA EVITAR QUE LAS SERIES DE VUESTROS AUTORES SE QUEDEN COLGADAS!

FLAS

NO DEBO DECIRLE NADA SOBRE EL BOICOT DE FUKUDA Y LOS SUYOS. SI REALMENTE SE SALTAN LA ENTREGA, SE LO DIRÉ CUANDO FALTE POCO PARA QUE SE ENTEREN.

YA HAY FECHA PARA LA OPERACIÓN: EL PRÓXIMO LUNES. SI ME PASÁIS EL *STORY* SIN RETRASOS, CREO QUE PUEDO TENER A TIEMPO TAMBIÉN EL SIGUIENTE CAPÍTULO.

NO, HOMBRE... SÉ PERFECTAMENTE QUE ESTE CHICO NO ATIENDE A RAZONES.

SEÑORA, LO SIENTO MUCHO. SÉ QUE DEBERÍA CONVENCERLE PARA QUE NO LO HICIERA, PERO...

TRABAJARÉ DESCANSANDO.

EXACTO.

YA, PERO PREFERIRÍA QUE EL POSOPERATORIO TE LO TOMARAS EN SERIO Y DESCANSARAS...

SÍ, POR FAVOR.

EN FIN, VOLVERÉ EL VIERNES A RECOGER LOS MANUSCRITOS.

RIC RIC

¡MIKOOOOO!

BUENAS TARDES.

ZUS

¿QUÉ DICES, TONTA? APROVECHAD QUE ESTÁIS SOLOS Y BESAOS, MUJER. ¡MUACS!

PERO QUÉDATE, KAYA. Y TÚ TAMBIÉN, TAKAGI.

...

¿EH? AH. S... SÍ, CLARO.

¿NOS VAMOS, MIYOSHI?

BUENO.

NO ME CONVIENE QUEDARME AQUÍ. CON TANTO ENFERMO ALREDEDOR, ME PONGO TRISTE...

TAP TAP TAP TAP

439

PERO EN EL DE FUKUDA Y LOS DEMÁS PONE "POR CIRCUNSTANCIAS PERSONALES DE LOS AUTORES"...

EN NUESTRO CASO PONE "POR ENFERMEDAD REPENTINA".

HAN DECIDIDO BOICOTEAR LA REVISTA PORQUE HAN VETADO LA PUBLICACIÓN DE *TRAP*...

QU... ¡¿QUÉ SIGNIFICA ESTO?!

LAS HISTORIAS Y [...]CADAS EN LA [...] FICCIÓN. CUALQUIER PARECIDO CON [...] ORGANIZACIONES O HECHOS REALES ES PURA COIN- CIDENCIA. EN ESTE NÚMERO, *CROW, KIYOSHI KNIGHT, OTTER'S 11* Y *HIDEOUT DOOR* DESCANSAN POR CIR- CUNSTANCIAS PERSONALES DE SUS AUTORES

ES... ESTA *JUMP* SE PON- DRÁ A LA VENTA EN LIBRERÍAS Y KIOSCOS EL LUNES, ¿NO? IGUAL SE LÍA PARDA.

FU- KUDA Y LOS DE- MÁS... IN- CLUSO EIJI...

YA... FUKUDA Y LOS SUYOS SE NIEGAN A TRABAJAR HASTA QUE SE REANUDE *TRAP*...

¡ELLOS ESPERAN LEER SUS HISTORIAS FAVORITAS SEMANA A SEMANA!

¡¿Y LOS LECTO- RES?!

¡ES VERDAD! ¡NO ES ESO LO QUE QUE- REMOS!

QU... ¡QUE NO HAGAN ESO! ¡NO PUEDEN DEJAR DE PUBLICAR POR NO- SOTROS!

ENTIENDO MUY BIEN CÓMO OS SENTÍS... POR ESO VENÍA A CONSULTAROS UN TEMA...

-FLAP FLAP

MASHIRO, TÚ NO TE PONGAS NERVIOSO. A VER SI SE TE VA A ABRIR LA HERIDA.

¡FINALIZADO!

BAKUMAN, VOL. 6
"PROCESO DE CREACIÓN"
PÁGINA 49; P. 122-123

PÁGINA 50:
IMPRUDENCIA Y TENACIDAD

EN CUANTO A HIRAMARU, YOSHIDA DICE QUE HARÁ LO QUE HAGAN LOS DEMÁS.

NAKAI, POR SU PARTE, OPINA IGUAL QUE SU COMPAÑERA.

CONSIDERARÍA MÁS JUSTO QUE FUERA HASTA QUE MAGHIRO RECIBIERA EL ALTA.

A AOKI NO LE GUSTA NADA QUE PRETENDAN PAUSAR *TRAP* HASTA QUE OS LICENCIÉIS DE BACHILLERATO.

¿Y QUÉ HAY DE NIIZUMA Y FUKUDA?

¡SAIKO!

¿PODRÍAS AVISAR A NIIZUMA Y A FUKUDA PARA QUE VENGAN? ME GUSTARÍA HABLAR CON ELLOS.

...

PERO ESO IMPLICA TAMBIÉN QUE VOSOTROS ACCEDÁIS A HACERLO ASÍ, POR SUPUESTO.

SI SE DECIDE REANUDAR *TRAP* PARA CUANDO SALGAS DEL HOSPITAL, SE LO PENSARÁN...

¿ENTONCES, ACEPTARÍAS NO PUBLICAR MIENTRAS ESTÁS INGRESADO?

VAYA...

...A LA *JUMP*... HASTA AL EDITOR JEFE...

LA CULPA DE TODO ESTO ES MÍA POR HABER ENFERMADO. ESTOY CAUSANDO MOLESTIAS A TODOS... A MIS COMPAÑEROS... A LOS LECTORES...

SI ELLOS SIGUEN TRABAJANDO, SÍ...

TIENES IDEAS UN POCO ANTICUADAS...

¡EXACTO! ¡EN ESO CONSISTE VUESTRO TRABAJO! ¡AUNQUE TENGÁIS QUE IR A REPARTIR PALIZAS!

OJALÁ PUDIÉRAMOS, PERO LOS AUTORES NO NOS LOS DAN. ¿ACASO SUGIERES QUE DEBERÍAMOS ROBARLOS?

¡YA ESTOY HARTO DE TANTA TONTERÍA! ¡PASADME LOS MANUSCRITOS SI LOS TENÉIS!

HUEI

...

LO DE AMENAZAR CON EL DESPIDO TAMBIÉN ES ANTICUADO. E INJUSTO.

HAREMOS LO POSIBLE PARA QUE ESO NO OCURRA...

Y NO SOLO VOSOTROS. EXIGIRÁN RESPONSABILIDADES AL JEFE TAMBIÉN, ESTOY SEGURO.

A VER SI ME EXPLICO: COMO EN EL PRÓXIMO NÚMERO VUELVAN A FALTAR LAS CUATRO HISTORIAS, PREPARAOS PARA COBRAR EL FINIQUITO...

ME VOY, ¿VALE? MIURA ME RECLAMA.

TAP TAP

TÉCNICAMENTE SÍ.

OYE, QUE YO ESTOY POR ENCIMA DE ESE.

YA.

CRIII

¿PODRÍAS TRAER A FUKUDA Y A NIIZUMA A LA HABITACIÓN DE MASHIRO? ERES SU EDITOR.

ENTENDIDO.

CRIIII

PERDONAD.

1/10 7

CLAPS

RISK
RISK

PARAD EL BOICOT.

ES LO QUE HAY.

¿LO PIENSAS DE VERDAD?

ACEPTAMOS PAUSAR LA SERIE HASTA QUE ME DEN EL ALTA.

NO QUIERO HACERLO ASÍ, PERO LA CULPA ES MÍA POR HABER CAÍDO ENFERMO.

MIRA QUÉ BIEN...

...

NO ESTAMOS EN POSI- CIÓN DE ASEGURAR NADA TO- DAVÍA...

¡NO TAN DEPRISA! ¡¿NOS ASEGURÁIS QUE TRAP SE REANUDARÁ SIN PROBLE- MAS TAN PRONTO COMO SALGA MASHIRO DEL HOSPITAL SI NOSOTROS ANULAMOS EL BOICOT?!

YA HABÉIS VISTO LO QUE DICEN LOS ASHIROGI. DEJAD DE BOICOTEAR LA REVISTA.

¿Y AHORA QUÉ?

DEPENDE DE LO QUE DIGA EL JEFE...

¡¿DE VERDAD?! ¡PUES DAME YA ESOS ORIGINALES! ¡TENGO LA IMPRENTA PARADA Y A LA ESPERA! ¡LLEGAMOS!

LOS CUATRO AUTORES HAN DECIDIDO RETIRAR EL BOICOT AL DECIRLE QUE TRAP SE REANUDARÁ TAN PRONTO COMO MASHIRO SALGA DEL HOSPITAL.

!

PERO TRAP SE REANUDARÁ CUANDO LOS ASHIROGI MUTO TERMINEN EL BACHILLERATO.

TE FELICITO POR HABERLES CONVENCIDO.

134

PO... POR FAVOR, NO PIERDAS LOS PAPELES... A... AÚN HAY TIEMPO...

...

YU... ¡YUJI-RO!

¡¡JEFE!!

¡ESTE PROBLEMA NO ES DE LOS QUE SE SOLUCIO-NAN CON TIEMPO!

PLAAAAM

CLAC

ES QUE LO MEJOR ES ESPERAR A QUE SE GRADÚEN PARA QUE NO VUELVA A OCURRIR LO MISMO.

...

ENTENDIDO. VOY A ENTRE-GAR CROW Y KIYOSHI.

SÍ, ESTABA QUE SE SALÍA... ES UNA PASADA LO RÁPIDO QUE SE RECUPERAN LOS JÓVENES... CORTARLES LAS ALAS HASTA QUE SE GRADÚEN ES TAN CRUEL...

MASHIRO ESTÁ PERFECTAMENTE DES-PUÉS DE LA OPERACIÓN... YA ESTABA TRABAJANDO EN EL CAPÍTULO 21... AL MENOS ME GUSTA-RÍA PUBLICARLES EL 19 PARA TERMINAR DECENTEMENTE LA TRA-MA QUE HABÍA QUE-DADO ABIERTA.

ZIS ZIS

ZIS ZIS

...

¿SE PUEDE SABER QUÉ LES HABÉIS PROME-TIDO?

¡Y QUE LO DIGAS! ¡POR-QUE ENTONCES HABREMOS ENGAÑADO A LOS ASHIROGI Y A FUKUDA Y LOS SUYOS!

PERO SI EL JEFE NO BA-JA DEL BURRO, LO DEL BOI-COT PARECERÁ UN JUEGO DE NIÑOS.

¿...?

...

SE PUSO MUY PÁLIDO AL ENTERARSE DE LO DEL BOICOT, PERO ENSEGUIDA SE RECUPERÓ...

DE HECHO, ESTÁ TAN BIEN QUE SIGUE DIBUJANDO TRAS HABER ACEPTADO INCLUSO LO DE LA PAUSA.

¿AÚN ESTÁ TRABAJANDO?

¿TAN RECUPERADO ESTÁ MASHIRO...?

RIS RIS RIS

A ESTAS ALTURAS NO VA A CAMBIAR NADA, ASÍ QUE SEGUIRÉ DIBUJANDO MANGA.

AHORA YA ES SEGURO QUE NO NOS PUBLICARÁN AL MENOS HASTA EL DÍA DEL ALTA... IGUAL DEBERÍAMOS ESTUDIAR PARA LOS EXÁMENES DE LA UNI...

CLONC

CRIIII
CRIIII

CRIIII
CRIIII

VE PENSANDO NUEVOS STORYBOARDS, SHUJIN. SI QUIERES ESTUDIAR, TÚ MISMO. ME PARECE PERFECTO.

EL MANGA ES LO ÚNICO QUE TENEMOS.

FUUUU

¿EN NOSOTROS MISMOS?

Y TAMBIÉN EN NOSOTROS MISMOS...

HABRÁ QUE CONFIAR EN ELLOS; NO HAY OTRA.

PERO SI YUJIRO Y MIURA NO LOGRAN CONVENCER AL EDITOR JEFE, NOS TOCARÁ DESCANSAR HASTA PASADA LA GRADUACIÓN.

FRIS

FRIS

WOOOONG

...

LO QUE NO ES JUSTO ES QUE SIGA IGUAL DESPUÉS DE QUE ATAJARAIS LO DEL BOICOT.

...

ES QUE TIENE SU ORGULLO, SEGU-RO...

¡ME-CACHIS LA MAR! ¡EL JEFE SIGUE EN SUS TRECE! YA NO SÉ QUÉ HA-CER...

Y ASÍ PASA-RON LAS SEMA-NAS.

ZAS
ZAS

EN EL NÚMERO 36 SE ANUNCIÓ LA ADAP-TACIÓN A ANIME DE CROW.

祝アニメ化
36
巻頭カラー
CROW

LO IM-PORTANTE ES NO RENDIRSE Y DARLO TODO.

NO LO SÉ; HARÉ TODO LO POSIBLE PORQUE ASÍ SEA...

¿SEGURO QUE PODREMOS REANUDAR LA PUBLICA-CIÓN UNA VEZ MAGHIRO ESTÉ FUERA DEL HOSPITAL?

PACIENCIA, HOMBRE. HASTA QUE ME DEN EL ALTA.

A ESTAS ALTURAS NO VALE LA PENA IR CON PRISAS.

UAU, QUÉ ENVIDIA ME DA ESTO... Y EN CAMBIO, NOSOTROS TENDREMOS QUE ESPERAR A LA PUBLI-CACIÓN DEL SEGUNDO TOMO, INICIALMENTE PREVISTA PARA SEP-TIEMBRE, PARA PODER VOLVER AL RUEDO...

Y... YA, ¡JALÁ SEA ASÍ...

¡QUÉ GANAS TENGO DE VOL-VER!

AUN-QUE DE HIDEOUT NO LO TENGO TAN CLA-RO...

TANTO OTTER'S COMO KIYOSHI VAN VIENTO EN POPA. ¡VAYA!

NO HABLAMOS MUCHO, ¿VERDAD?

A PESAR DE ESTAR INGRESADO Y SIN PODER PUBLICAR, EN ESOS MOMENTOS NO PODÍA EVITAR SENTIRME FELIZ.

A VECES ME QUEDABA A SOLAS CON AZUKI.

¿DECEPCIONADO?

¿EH...? HOMBRE, ES QUE LOS DOS SOMOS MÁS BIEN MODOSITOS Y AUNQUE SE NOS PASE LA VERGÜENZA...

¿PUEDE?

PUEDE.

SI... SI NUESTRO SUEÑO SE CUMPLE Y NOS... NOS CASAMOS, ¿SERÁ ASÍ TAMBIÉN?

...

NO.

AUNQUE TAL VEZ AHORA ESTAMOS HABLANDO POQUITO PORQUE ESTÁS TRABAJANDO EN TU MANGA, ¿VERDAD?

NI YO...

PARA NADA.

CRIIII CRIIII

¡...!

MENOS MAL...

¿DE VERDAD?

TENEMOS A HATTORI Y A YOSHIDA DE NUESTRA PARTE, ESO SÍ.

¿QUÉ DICE EL JEFE?

LE HE COMENTADO QUE SALE DEL HOSPITAL, PERO SIGUE SIN CEDER.

¿EH? ¿Y MIHO?

!

HA DICHO QUE IBA AL BAÑO Y QUE ESPERARÍA AQUÍ ABAJO, ¿NO?

CHAAAAN

集部

少年

ャン

...

¡IN-
CREI-
BLE!

¡HAY 12
CAPÍTULOS,
LO QUE SIG-
NIFICA QUE,
SI SE EM-
PIEZAN A
PUBLICAR
AHORA, HAY
CUERDA PA-
RA LO QUE
QUEDA DE
AÑO!

¡LA CALIDAD
NO HA BAJA-
DO NI UN ÁPICE!
¡AL CONTRA-
RIO, ES AÚN
MEJOR!

¡HAN ESTADO
DIBUJANDO UNA
ENTREGA A LA
SEMANA DURANTE
LA ESTANCIA EN
EL HOSPITAL, SIN
SALTARSE NI
UNA SOLA!

Y QUE UNA VEZ LA CONSIGUES NECESITAS...

QUE ANTES DE TENER UNA SERIE HAY QUE SER "ENGREÍDO", SABER "ESFORZARSE" Y TENER "SUERTE".

SA... ¿SABE LO QUE DECÍA MI TÍO NOBUHIRO?

..."FUERZA FÍSICA"...

..."FUERZA MENTAL"...

...Y, POR ÚLTIMO, "TENACIDAD".

... TARO KAWA-GU-CHI...

...LEÍA DEMASIADO SPOKON.

AL FINAL HA VALIDO LA PENA... ¿QUÉ "SHO-WA" ES ESTO...

ガタ CLAC

¡UAAAH!

ガタ CLAC

MENOS MAL...

¡¡YAAAAA!!

ES... ES LA MISMA TÁCTICA QUE USASTE TÚ PARA PREPARAR EL TERRENO ANTE LA REUNIÓN DE SERIALIZACIÓN, HATTORI, ¿LO HAS VISTO...? HA SIDO IDEA DE MASHIRO Y TAKAGI...

...

MIURA...

OS HABÉIS PASADO.

¿SÍ?

MASHIRO, TAKAGI...

PERDONA...

CLAAAAAS

?!

ESTOY ORGULLO-SO DE VOSOTROS... LO HABÉIS DADO TO-DO...

...

RE: SE REANUDA TRAP

¡FELICIDADES!
PERO CUIDADO CON TU SALUD.
SI VUELVES A INGRESAR POR CULPA DEL MANGA, CONSTE QUE NO IRÉ A VERTE.
NO ME GUSTAN LOS QUE NO SABEN CUIDAR DE SÍ MISMOS XD.

MIHO

---END---

from
MENSAJE RECIBIDO DE: MASHIRO
SE REANUDA TRAP
15/09/ 20:11

¡EN EL NÚMERO 44, A LA VENTA EL 3 DE OCTUBRE, VOLVEMOS A EMPEZAR Y CON PÁGINAS DE INICIO A COLOR!

¡FINALIZADO!

PLAAAAS

PLAAAAS

¡EN-
HORA-
BUE-
NA!

¡FELI-
CIDADES
POR EL
ALTA!

PLAAAAAAAS

PLAAAS

SUERTE QUE DIJO
QUE EN EL HOSPITAL
SE HABÍA TOPADO
CON SU NOVIA Y QUE
ERA GUAPÍSIMA...
¿SERÁ UN DETALLE
SIN IMPORTANCIA?

AH,
MUCHAS
GRA-
CIAS.

¡HE
PREPARADO
UNAS GALLE-
TAS! ESPERO
QUE TE
GUSTEN.

GR...
GRACIAS
POR
TODO...

NO
DIGAS ESO,
MUJER. LA
PAUSA FOR-
ZADA FUE
CULPA MÍA,
AL FIN Y AL
CABO.

OS LO
AGRA-
DEZCO.

...

NO
PUEDO
ACEPTAR
ESO; ES
COMO CO-
BRAR POR
NO HACER
NADA...

LO DECIDIREMOS
EN LA REUNIÓN DE
ESTA MISMA NOCHE.
PUEDE QUE OS DE-
MOS ALGUNOS DÍAS
DE DESCANSO, PERO
EL SUELDO SE
MANTIENE.

HOY
TERMINAMOS
LA ENTREGA
DE LA SEMANA.
¿SEGUIRÉIS
TRABAJANDO
AL MISMO
RITMO?

SI
TÚ LO
DICES,
MASHI-
RO...

FRUS

FRUS

NADA, QUE EL "VICE" HA VENIDO PARA PREGUNTARME SI DE VERDAD SE PUBLICARÁ EL MATERIAL ACUMULADO DE *TRAP*.

DIBUJAR UN CAPÍTULO NUEVO CADA DOS SEMANAS HASTA LA GRADUACIÓN Y REDIBUJAR LAS PARTES QUE VAYAN A SER A COLOR.

A MÍ ME PARECE UN BUEN PLAN.

CON CUIDADO PARA QUE NO SE CASQUE OTRA VEZ.

ESA ES LA INTENCIÓN, ¿NO?

?!

...

¿QUÉ PASA?

ESTOY HARTO DE QUE DECIDAN POR MÍ...

BUFFFF...

¿Y QUÉ QUERÍAS? EN PRINCIPIO *TRAP* NO IBA A REAPARECER HASTA ABRIL.

ADEMÁS, *CHEATER* SE PRESENTÓ ANTES QUE *TRAP* A LAS REUNIONES DE SERIALIZACIÓN Y FUE MODIFICADA UNA Y OTRA VEZ.

LO QUE NO MOLA ES QUE EMPIECE *EL LADRÓN DE GUANTE BLANCO CHEATER* DE KYOTARO HIBIKI-*SENSEI* JUSTO EN EL NÚMERO SIGUIENTE AL DE LA REANUDACIÓN DE *TRAP*. SE VAN A SOLAPAR.

LO IDEAL SERÍA IR PUBLICANDO POR ORDEN Y QUE GUSTARA A LOS LECTORES.

YA, PERO HABRÁ QUE CAMBIAR ALGUNAS COSAS SEGÚN VAYAN LAS ENCUESTAS, ¿NO?

ES... ¡¿ES ESO CIERTO?!

ACABAN DE COMENTÁRMELO LOS JERIFALTES...

ADEMÁS, A *TRAP* LE HA SALIDO UN NUEVO OBSTÁCULO.

¿EH?

CHASK

ガ
シャ

ガ
シャ

ガ
シャ

CHASK

CHASK

ESPERO QUE NO SE ANULEN ENTRE SÍ.

NO ES MALO QUE HAYA COMPETENCIA, DE HECHO ESO NOS MOTIVA A TODOS.

ガ
シャ

WOOOM

ガ
シャ

CHASK

NO, AÚN NO.

¿TÚ NO TE MARCHAS, TAKAHA-MA?

BUENO, PUES LA SEMANA QUE VIENE VENDREMOS EN EL HORARIO HABITUAL.

¡CON PERMISO!

PUES HASTA LUEGO.

¡HASTA LA PRÓXIMA!

¡BUENAS NOCHES!

CHASK

FLAS

BLAAAM

ASÍ QUE DECIDÍ PONER EN PRÁCTICA TODO LO QUE HABÍA APRENDIDO Y MIURA LO HA PRESENTADO AL TREASURE DE SEPTIEMBRE.

ES QUE MIENTRAS MASHIRO ESTABA INGRESADO, NO TENÍA A NADIE CON QUIEN HABLAR DE MANGA, Y ENCIMA YA ME HABÍA LEÍDO CASI TODOS LOS QUE ME INTERESABAN DE LOS QUE TENÉIS AQUÍ.

PERDONAD, ¿OS IMPORTARÍA VER UNAS COPIAS DE UNOS MANUSCRITOS?

VOSOTROS TENÉIS EXPERIENCIA... Y ME GUSTARÍA SABER QUÉ OS PARECE.

¡¿UNOS MANUSCRITOS?!

...ES BUSINESS BOY KEN'ICHI...

EL TÍTULO...

S... ¿SÍ?

NO ES PARA TANTO. SOIS MIS MAESTROS, POR LO QUE EL ESTILO DE DIBUJO ES PARECIDO.

UAU, ES UN HONOR.

BUSINESSBOY

Página 2

¡¿NO IRÁS AL INSTITUTO?!

ENTRE-VISTAS 3.º-1

NO.

KINTARO TSUBAKI (43 AÑOS)

KENICHI TSUBAKI (15 AÑOS)

¡OH! ¿TE TOCA A TI, HARITA?

MUCHAS GRACIAS.

SABE USTED QUE LAS NOTAS DE KENICHI NO SON NADA MALAS.

¿Y USTED, COMO PADRE, VA A PERMITIR-LO?

CON PERMISO.

¡SÍ!

Página 3

RAAAS

TÚ YA PUEDES IRTE, PAPÁ.

VALE.

PLAAAS

TE ESPERO. ¿VALE? TOTAL, DURA MENOS DE DIEZ MINUTOS.

PLACK

CLA-RO.

SOMOS GRANDES AMIGOS, ¿VERDAD?

FLAAAS

FLIS FLAS

COMO QUIE-RAS.

ENTONCES ESCÚCHA-ME.

NO ME DIGAS NADA QUE NO QUIERAS DECIRLE A NADIE.

¿NO SE LO DIRÁS A NADIE?

Página 4

ME HAN DADO TRESCIENTOS KILOS...

BUENO, SERÍA LO NOR-MAL.

¿CÓMO QUE "UAU"? SORPRÉNDE-TE MÁS, ENDO YO...

¡UAU!

LLEVABA UNA EMPRESA BASTANTE GRANDE Y TRESCIENTOS MILLONES NO SON NADA PARA MÍ.

EL AÑO PASADO SE MURIÓ MI PADRE.

¡¿DOS?! ¡ES IMPOSIBLE! ¡MADRE MÍA, QUÉ PASADA!

MI VIEJO COMPRÓ 200 BOLETOS DE LOTERÍA DE FIN DE AÑO Y ME DIJO QUE SI TOCABA ME DARÍA LA MITAD. Y TOCARON DOS BOLETOS DE TRESCIENTOS KILOS.

OYE, ¿Y TÚ DE DÓNDE HAS SACADO LA PASTA?

INCLUSO DESPUÉS DE LOS IMPUESTOS DE SUCESIÓN.

Página 5

QUÉ GENEROSO, Y QUÉ NOBLE POR SU PARTE CUMPLIR SU PROMESA.

Y AQUÍ, LA TAR-JETA.

Y AQUÍ TENGO LA LIBRETA DE AHO-RROS A MI ENTERA DISPOSICIÓN. ESTÁ A NOMBRE DE MI PADRE, PERO BUENO.

¡¡HARÉ NEGOCIOS, AMIGO!!

¿QUÉ MANERA DE PENSAR ES ESA, HOMBRE?

¿EN SERIO...? ¡¿VIVIRÁS DEL CUENTO?! TE DURARÁ TODA LA VIDA.

POR ESO HE DECIDIDO NO IR AL INSTITUTO.

AUNQUE COMO AÚN NO TENGO CARNE, NO PODRÉ HACERLO EN COCHE.

NO. EMPEZARÉ VENDIENDO BOLLOS POR AHÍ, EN PLAN NÓMADA.

SI TAMBIÉN TIENES PASTA, ¿POR QUÉ NO TE APUNTAS, HARITA?

¿NEGO-CIOS?! ¿DE INFORMÁTICA Y TAL?

Y, PERSONALMENTE, LA FRASE DEL FINAL, "QUEDAN 287.947.641 YENES", ME PARECE GENIAL PARA CERRAR LA HISTORIA.

Y MOLA QUE TENGA PASTA DESDE EL PRINCIPIO.

ME GUSTA QUE PUEDA IR PROBANDO CON VARIOS OFICIOS, ES MUY DIVERTIDO.

¿LO DECÍS EN SERIO?

ME GUSTA. ME PARECE UN POCO FORZADO, TAL VEZ, ¡PERO ESTÁ MUY BIEN!

SÍ, ES MUY DIVERTIDO. EL NIVEL ES MUY ALTO PARA SER UNA HISTORIA CORTA.

¡GENIAL! ACABÁIS DE DARME UN BUEN CHUTE DE ENERGÍA. PENSABA PREPARAR UNA PROPUESTA DE SERIE POR SI OBTENÍA BUENAS CRÍTICAS.

SE TE DA BIEN DIBUJAR PERSONAJES Y ESTÁS MEJORANDO MUCHO CON LOS FONDOS, TAKAHAMA. FUNCIONARÁ, YA LO VERÁS.

BUENO, CON UN ORDENADOR E INTERNET SE PUEDEN AVERIGUAR MUCHAS COSAS.

ME IMPRESIONA QUE HAYAS INVESTIGADO TANTO SOBRE DISTINTOS TIPOS DE NEGOCIO.

ES... ESO TAMBIÉN ME GUSTA A MÍ. LA CIFRA PUEDE AUMENTAR SI TIENE ÉXITO Y, SI TODO VA BIEN, PUEDE PROBAR CON TODO TIPO DE NEGOCIOS, PASARSE DE LISTO Y CAGARLA...

AUNQUE NO LE HEMOS ENSEÑADO NADA; MÁS BIEN AL CONTRARIO...

A MÍ ME ALEGRARÍA MUCHO QUE UNO DE NUESTROS AYUDANTES SE INDEPENDIZARA COMO AUTOR.

NO FALTA MUCHO PARA QUE SE CONVIERTA EN UN RIVAL...

QUE VAYA BIEN.

MUCHÍSIMAS GRACIAS. ÁNIMO CON LA REUNIÓN.

PLOF

SUPONGO QUE, EN EL CASO DE *HIDEOUT*, LO QUE PASA ES QUE SE VENDE BIEN POR EL DIBUJO, MIENTRAS QUE *KIYOSHI* SOLO LO COMPRAN CHICOS.

ES EXTRAÑO, PORQUE EN LAS ENCUESTAS *HIDEOUT* VA SIEMPRE BASTANTE POR DETRÁS DE *TRAP* Y DE *KIYOSHI*.

LA DIFERENCIA NO ES GRANDE, ESO SÍ.

EN CAMBIO, EN VENTAS DE TOMOS EL ORDEN ES *HIDEOUT*, *TRAP* Y *KIYOSHI*.

Y A MÍ.

¡TRES PÁGINAS! ES FANTÁSTICO; LO QUE MÁS ME PREOCUPABA ES QUE LOS LECTORES HUBIESEN OLVIDADO LA HISTORIA.

¡AH, POR CIERTO! HE CONSEGUIDO TRES PÁGINAS EN VEZ DE UNA PARA EL PRIMER CAPÍTULO DESPUÉS DE LA PAUSA; ASÍ PODÉIS PONER UN BUEN RESUMEN.

VOSOTROS TRANQUILOS.

EN FIN, VUESTRA SERIE YA SE HA REANUDADO Y EN NOVIEMBRE SALE EL SEGUNDO TOMO. CUANDO HAYA DOS O TRES TOMOS EN EL MERCADO LA COSA REMONTARÁ.

FRUS

PLANTEAOS LOS PRÓXIMOS MESES HASTA LA GRADUACIÓN CON CALMA: EL RITMO SERÁ DE UN CAPÍTULO CADA DOS SEMANAS.

ESTO DEMUESTRA QUE LA SERIE HA GUSTADO. DE MOMENTO IREMOS PUBLICANDO LOS CAPÍTULOS ACUMULADOS.

DE ACUERDO.

ESTAS SON LAS CARTAS DE FANS QUE PEDÍAN LA REANUDACIÓN DE *TRAP* DURANTE LA PAUSA FORZOSA.

PLOFF

¡UAU!

EL 28 DE SEPTIEMBRE SE PUSO A LA VENTA EL NÚMERO 43 DE LA *SHONEN WEEK*, QUE LLEVABA EL PRIMER CAPÍTULO DE LA NUEVA SERIE *LAS DEDUCCIONES DE GOSUKE AKECHI*.

¡ES COMO LEER UNA NOVELA DE MISTERIO EN MANGA...! EL NIVEL ES ALTÍSIMO.

GRRNK

¿MÁS QUE EL DE *TRAP*?

NO LO PREGUNTES ASÍ, MUJER.

IGUAL SEA PORQUE ES EL PRIMER CAPÍTULO, PERO NO PUEDO DECIR QUE SHUJIN ESTÉ POR ENCIMA; AL CONTRARIO...

NO SÉ YO SI *TRAP* SOBREVIVIRÁ A TODO ESTO.

ギャグ 週刊 ワーク 本格 推理屋 明智五助

EL 3 DE OCTUBRE SALIÓ EL NÚMERO 44 DE LA *SHONEN JUMP* CON EL PRIMER CAPÍTULO DE LA REANUDACIÓN DE *FALSO DETECTIVE TRAP*.

¡CUARTOS! ¡ESTÁIS CUARTOS! ¡LOS FANS OS HAN ESTADO ESPERANDO, CHICOS!

¡VIVA! ¡CUARTOS!

AL DÍA SIGUIENTE VINO LA PREVIA.

¡MOLA UN MONTÓN SALIR EN LA JUMP!

Y MÁS AL PRINCIPIO DE LA REVISTA, A COLOR.

アニメ 少年 ジャンプ 連載 開始

A VER, NUESTRO PLAN ORIGINAL ERA SUPERAR A EIJI CON LA "INTRO" A COLOR, ¿NO...?

CLAPS

SUPONGO QUE *CROW* HA QUEDADO ENTRE LOS TRES PRIMEROS OTRA VEZ... INCLUSO PRIMERO O SEGUNDO, QUIÉN SABE...

Y... YA, PERO IGUAL OS PAGÁIS DE AMBICIOSOS... ADEMÁS, HOY EMPIEZA LO DE *CROW*, ¿NO?

YA SON LAS SEIS.

¿BIP?

TEP, TEP

ZAAAANG

ZA-ZAAAN

COMO QUE ES ANIME.

CÓMO MOLA QUE SE MUEVA UN MAN-GA.

EL *OPENING* TIENE MUCHA ENERGÍA.

CÓMO MOLA.

¡JUAU!

Y AZUKI HAGA DE AMI...

OJALÁ LLEGUE EL DÍA EN EL QUE VEA-MOS JUNTOS EL ANI-ME DE *TRAP*.

SEGURO QUE AHORA DE CADA TOMO DE *CROW* SE VENDERÁ POR LO MENOS UN MILLÓN DE EJEMPLARES.. SE CONVERTI-RÁ EN UNA DE LAS SERIES ESTRELLA DE LA REVISTA...

...CAYÓ HASTA EL PUES-TO NÚME-RO 12.

NO PASA NADA. *TRAP* ES MUCHO ME-JOR, OS LO ASEGURO.

BUFFF... *CHEATER* SE VA A SOLA-PAR CON EL NUESTRO, FIJO...

COMO FRUSTRAN-DO MIS ESPERAN-ZAS SOBRE LA CON-VERSIÓN A ANIME, EL SEGUNDO CAPÍTULO TRAS EL REGRESO, EL NÚME-RO 20 GLOBAL...

EL 7 DE OCTUBRE SALIÓ LA SHONEN JUMP CON EL PRIMER CAPÍTULO DE LA SERIE EL LADRÓN DE GUANTE BLANCO *CHEATER*.

CHEATER QUEDÓ QUINTO, UN PUESTO QUE, SE-GÚN MIURA, NO ES NI BUENO NI MALO PARA UNA NUEVA SERIE.

¿RECORDÁIS LA HISTORIA *B.B. KEN'ICHI* QUE OS HICE LEER EL OTRO DÍA? PUES HA QUEDADO FINALISTA DEL TREASURE Y SE PUBLICARÁ EN EL NÚMERO 1, DE AÑO NUEVO, QUE SALE A LA VENTA EL 5 DE DICIEMBRE.

NO SÉ, ME DAS ENVIDIA.

CREO QUE OBTENDRÁ UN BUEN RESULTADO.

MUY BIEN... ES QUE ES MUY BUENA.

¡¡UAUUU! ¡¡QUÉ PASADA!!

¿ENVIDIA? TÍO, TÚ LLEVAS UNA SERIE, NO DIGAS ESO.

MUCHAS FELICIDADES.

PARA QUE NO NOS SUPERE, ¿EH...?

SÍ, TIENES RAZÓN. PERDONA, TAKAHAMA. HAREMOS LO POSIBLE PARA QUE NO NOS SUPERES.

POR LA HORA QUE ES, SI NOS HUBIESEN CORTADO NOS HABRÍA LLAMADO ANTES DE VENIR A REUNIRSE CON NOSOTROS.

SUPONGO QUE SÍ; HAY VARIAS SERIES POR DEBAJO.

ESPERO QUE TODO VAYA BIEN...

10.28.11 20.5℃
7:18:58

ØASIO

28 DE OCTUBRE, REUNIÓN DE SERIALIZACIÓN. EL CAPÍTULO DE FIN DE CASO DE *TRAP* EN EL QUE TENÍAMOS TANTAS ESPERANZAS PUESTAS OBTUVO UN DECEPCIONANTE 14.º PUESTO.

PLAAAAF

!

EN ALGUNAS CARTAS HAY PETICIONES SOBRE CÓMO LES GUSTARÍA A LOS LECTORES QUE EVOLUCIONARA LA HISTORIA, ¿NO?

CASI TODAS LAS CARTAS LAS MANDAN CHICAS, ¿NO?

ESPERA UN MOMENTO...

INCORPORAREMOS LAS SUGERENCIAS DE LOS LECTORES EN EL ARGUMENTO.

ESTO VA A ESCORAR.

PUEDE, PERO TAMBIÉN ES CIERTO QUE LOS QUE MANDAN CARTAS SON NUESTROS FANS MÁS ACÉRRIMOS.

FLAS

SÍ, SUPONGO.

LOS QUE SE TOMAN LA MOLESTIA DE ESCRIBIR SEGURO QUE PARTICIPAN TAMBIÉN EN LAS ENCUESTAS, ¿NO CREES?

...

TAMBIÉN CREO QUE LOS QUE VOTAN A *TRAP* LO HACEN SEMANA TRAS SEMANA COMO PRIMERA OPCIÓN, INDEPENDIENTE DE LO BUENA O MALA QUE SEA LA HISTORIA EN AQUEL NÚMERO.

FLAS

LOS LECTORES YA CONOCEN EL SISTEMA DE ENCUESTAS DE LA *JUMP*.

...

DICHO DE OTRO MODO, SI ESTOS FANS NOS DEJAN ESTAMOS ACABADOS.

ES A ESTA GENTE A QUIEN NOS DEBEMOS: ELLOS SON LOS QUE MÁS NOS APOYAN Y A QUIENES MÁS GUSTA *TRAP*.

...

POTOF

EN FIN, CREO QUE TENEMOS QUE HACER TODO CUANTO ESTÉ EN NUESTRA MANO.

¡EXACTO!

¡VOY A LEERLAS TODAS Y A SELECCIONAR LAS QUE TRAIGAN SUGERENCIAS!

YO TE AYUDO.

PONDREMOS BATALLAS, PERO SIEMPRE DENTRO DEL TRANSCURSO NORMAL DE LA HISTORIA, SIN QUE PASEN DE LA MERA ACCIÓN.

ES LO QUE HEMOS VENIDO HACIENDO, ¿NO?

POR ESO MISMO NO NOS LIMITAREMOS A ESO, SINO QUE INCORPORAREMOS LAS SUGERENCIAS DE LOS LECTORES. ¡ES BÁSICO, ¿NO CREES?!

ES FUKUDA-SENSEI.

¿HUM? ¡LLAMAN EN EL PEOR MOMENTO! ¡QUÉ LATA!

NIIZUMA

EIJI S.L.

AHORA...

SI FUERA UNA PAUSA ABSURDA OBLIGADA LO ENTENDERÍA, PERO ESTO ES DISTINTO.

?!

¿NO LO CAPTAS? SI TODO SIGUE IGUAL, TANTO HIDEOUT COMO TRAP PUEDEN ACABAR EN LA CUNETA.

¿QUÉ ESTÁS DICIENDO?

¿CREES QUE PODRÍAMOS ECHARLES UNA MANO?

SE VE QUE NAKAI Y LOS ASHIROGI CORREN PELIGRO EN LA PRÓXIMA REUNIÓN.

ES CUESTIÓN DE TALENTO Y ESFUERZO.

...NO PUEDO HACER NADA POR ELLOS.

¡FINALIZADO!

**BAKUMAN. VOL. 6
"PROCESO DE CREACIÓN"
PÁGINA 51; P. 152-153**

...

¿SIGUES EN TUS TRECE, AOKI?

...

BUENO, YO DE- BERÍA TRABA- JAR...

¿Y QUÉ IMPORTA LA HORA QUE SEA?

YA SON LAS TRES DE LA MADRU- GADA.

...PREFIERO TERMINARLA AHORA MISMO.

SI INSISTES EN QUE DEBO DEJAR A UN LADO MIS IDEAS PARA DAR UN GIRO A LA HISTORIA Y EVITAR QUE LA CORTEN...

NO PUEDO CAMBIAR ESO. LA OBRA SE ME ESCAPARÍA DE LAS MANOS Y DEJARÍA DE SER MÍA.

¡¿EEEEH?! PE... ¡PERO NO LE DES LA RAZÓN, TÍO! ¡MENUDO EDITOR ESTÁS HECHO TÚ!

NO CREAS QUE NO TE ENTIENDO, AOKI...

RE... REPLÍCALE, AIDA, TE LO SUPLICO...

N... NO... ESO SÍ QUE NO, POR FAVOR...

CON LO QUE COSTÓ CONSEGUIR LA SERIE, CREO QUE TENEMOS QUE DARLO TODO PARA SEGUIR ADELANTE.

PU... PUES COMO YA HE DICHO POR ACTIVA Y POR PASIVA... N... NO QUIERO QUE ESTO ACABE ASÍ; ESTOY DISPUESTO A HACER LO QUE SEA NECESARIO...

Y... ¿Y ME PREGUNTA A MÍ?

?!

¿QUÉ HACEMOS, NAKAI?

PE... PERO TENTA CONVENCERLA, MELÓN...

EXACTO.

PERO AOKI HA DEJADO MUY CLARO DÓNDE ESTÁ LA LÍNEA QUE NO ESTÁ DISPUESTA A TRASPASAR...

...

...

¡QUEDAMOS EN QUE METERÍAMOS MANO, PERO ESTO NO SIRVE! ¿QUÉ ESTÁIS HACIENDO?

¡NO ME ENGAÑES! ESTE STORY NO ES TUYO, TÍO. ¡QUE NO ESTOY CIEGO NI SOY TONTO!

PLAS

PU... PUES ES MI PROPIA IDEA...

¿EH?

¡¿QUIÉN OS HA DADO ESTA IDEA, A VER?!

AHÍ ESTÁ EL PROBLEMA, PUES...

LO QUE PASA ES QUE LEÍMOS LAS CARTAS DE LOS LECTORES Y DECIDIMOS INCORPORAR LAS SUGERENCIAS QUE FUERA POSIBLE.

PU... PUES ES VERDAD QUE ES MÍO...

...

FLAG

ES UNA ACTITUD MUY LOABLE.

ES LÍCITO INCORPORAR IDEAS QUE SE AJUSTEN A VUESTRO CONCEPTO DE LA OBRA.

HABÉIS HECHO LO ÚLTIMO QUE DEBÍAIS HACER.

¡NO SON FUENTES DE IDEAS!

LAS CARTAS DE LOS FANS DEBEN SERVIR ÚNICAMENTE PARA DAROS ÁNIMOS. ¿QUEDA CLARO?

...

PERO ALGO MUY DIFERENTE ES TOMARSE AL PIE DE LA LETRA LAS OPINIONES DE QUIENES OS LEEN. ESO ES UN SUICIDIO.

OBVIAMENTE, UN FAN ES UN FAN SEA CHICO O CHICA Y HAY QUE CUIDARLE POR IGUAL.

ADEMÁS, CASI TODOS LOS QUE OS MANDAN CARTAS SON CHICAS, ¿NO?

SÍ...

¿LO ENTENDÉIS O NO?

SI OS DEDICÁIS A RESPONDER A SUS DESEOS, LA OBRA DEJARÁ DE SER DE ASHIROGI MUTO PARA SER DE OTROS...

SIN EMBARGO...

INCORPORAR SUGERENCIAS DE LOS FANS QUE OS ESCRIBEN EQUIVALE A RESPONDER ÚNICAMENTE A LOS DESEOS DE LAS LECTORAS, ¿VALE?

VALE.

...VOSOTROS PUBLICÁIS EN LA 'SHONEN' JUMP. COMO SABÉIS PERFECTAMENTE, "SHONEN" SIGNIFICA "CHICO".

EL TRABAJO DE UN AUTOR DE LA JUMP CONSISTE EN HACER BUENOS SHONEN MANGA, ES BIEN SENCILLO.

PERO SON CHICAS A LAS QUE ATRAE EL SHONEN MANGA, ¿VALE? EL MANGA PARA CHICOS ES LA CONSECUENCIA, NO LA CAUSA. NINGUNO DE NUESTROS MANGA SE INICIA CON LA IDEA DE GUSTAR A LAS CHICAS. LA PROPIA IDEA CONTRADICE NUESTRA FILOSOFÍA.

HAY MUCHAS CHICAS A LAS QUE LES GUSTAN LAS OBRAS DE LA SHONEN JUMP. ESO NO ES MALO EN ABSOLUTO.

Y AÚN DIGO MÁS: AHORA LAS CARTAS YA NO SON LA ÚNICA FUENTE DE FEEDBACK. TAMBIÉN ESTÁ INTERNET, LLENO DE OPINIONES DE LOS LECTORES.

IGUAL ME HE PASADO DE LISTO, PERO LO QUE DIGO, EN EL FONDO, ES OBVIO.

...

TIENES RAZÓN... LO SENTIMOS.

VAYA PREGUNTA: PUES ME LO HE COMPRADO. A PLAZOS, CLARO.

DE... ¿DE DÓNDE HAS SACADO ESTE PORSCHE?

CHAS

¡BUENAS!

¡HIRAMARU!

JU JU JU ???

TE IRÍA BIEN PARA CAMBIAR DE AIRES.

...ME DIO LA IDEA.

¿CÓMO ES QUE NO TE HAS COMPRADO UN COCHE TODAVÍA?

PUES SÍ. VI UN ANUNCIO EN UNA REVISTA Y YOSHIDA...

MADRE MÍA, TE HAS LANZADO A LA PISCINA, ¿EH?

CON MI ANTIGUO SUELDO DE MENOS DE 250.000 AL MES JAMÁS HABRÍA PODIDO HACER ALGO ASÍ.

ES UNA PASADA ESTO DE SER MANGAKA, DESDE LUEGO.

NO QUISIERA DECIRTE ESTO, HIRAMARU, PERO...

...

¿HM?

Y ENCIMA TAMBIÉN ME HE CAMBIADO DE CASA POR SUGERENCIA SUYA. DE ALQUILER, CLARO. SALE UN POCO CARO, PERO VALE LA PENA.

DEBERÍAS MUDARTE A UN PISO EN UN EDIFICIO CON PARKING.

SI A CAMBIO PUEDO CONDUCIR ESTE COCHAZO...

EL PROBLEMA ES QUE HA PUESTO UN GPS, Y AHORA CON EL MÓVIL PUEDE SABER DÓNDE ESTOY EN TODO MOMENTO, PERO BUENO. ¡JA, JA, JA!

5 DE NOVIEMBRE. CUMPLEAÑOS DE AZUKI.

AZUKI CUMPLE 18 AÑOS...

SHUJIN Y YO SOLÍAMOS DECIR QUE TENDRÍAMOS UN ANIME PARA CUANDO TUVIÉRAMOS ESTA EDAD...

¡BIP!

NO PUDE ESCRIBIR MÁS QUE UNA SOLA PALABRA: "FELICIDADES".

MIHO AZUKI
05/11/2011 04:44
RE: FELIZ CUMPLEAÑOS

GRACIAS.
¡ME HAN COGIDO PARA HACER EL PAPEL DE LA HIJA EN EL DOBLAJE DE LA SERIE AMERICANA DOCTOR FAMILY DE LA BS! NO SALDRÉ TODAS LAS SEMANAS, PERO ESTOY MUY CONTENTA DE PARTICIPAR EN UN DOBLAJE DE UNA SERIE. ¡LO DARÉ TODO!

MIHO   ---FIN---

MENÚ   RESPONDER

♪

EN CAMBIO, TRAP...

...Y OTTER'S SERÁ ADAPTADO TAMBIÉN A LA PEQUEÑA PANTALLA.

EL ANIME DE CROW YA HA EMPEZADO...

VA A DOBLAR UNA SERIE, QUÉ PASADA... AUNQUE SEAN PAPELES SECUNDARIOS, YA TIENE DOS... PUEDE DECIR QUE ES ACTRIZ DE DOBLAJE PROFESIONAL...

VALE, YO TAMBIÉN VOY AL ESTUDIO ENTONCES.

¿DE QUÉ VAS, HOMBRE? YA TENGO LISTO EL DECISIVO CAPÍTULO 28, EN EL QUE NOS LO JUGAMOS TODO. SI QUIERES VERLO, TE LO LLEVO.

CLANC

ANDA, PERO SI ERES TÚ, SHUJIN...

¡UNA LLAMA-DA! ¿SERÁ AZ...?

CREO QUE CONSEGUIRÁ MUCHOS VOTOS.

¿VERDAD QUE SÍ?

¡AQUÍ HAY LUCHA DE DEDUC-CIONES Y CONTRA EL RELOJ!

UNA BUENA BATALLA NO CONSISTE SO-LAMENTE EN GOLPEARSE Y MATARSE MUTUAMEN-TE, ¿NO CREES?

NO SOLO HACES QUE SE ESCAPE EL TERRORISTA QUE ATRAPÓ EN EL CAPÍTULO QUE CONSIGUIÓ EL TER-CER PUESTO, SINO QUE ENCIMA PRE-SENTAS A UN NUE-VO DETECTIVE...

¡VOY A DIBU-JARLO COMO NUNCA!

...LOS CAPÍTULOS 26 Y 27 (CAPÍTULO DE FIN DE SAGA) OBTUVIERON UN DECEPCIO-NANTE PUESTO 17.º. NO HA-BÍA MARCHA ATRÁS.

EL CAPÍTULO 28 PASÓ FÁCILMENTE LA CRIBA, PERO...

ESTÁ MUY BIEN PENSADO, SÍ SEÑOR.

...

TRAN-QUILOS; CON EL 28 VOLVEREMOS A LO MÁS ALTO.

¿SE PUEDE SABER QUÉ DICES, MIYOSHI?

ME PARECE MUY BIEN, PERO NO HAGAS TRAMPA Y NO TE VOTES A TI MISMO.

EL LUNES ME VOY A COMPRAR DIEZ EJEMPLARES DE LA REVISTA.

¡¡¡ENHORABUENA!!!

ES UN HONOR ESTAR EN LA MISMA *JUMP* QUE VOSOTROS, EN SERIO.

EN EL NÚMERO 1 DEL NUEVO AÑO, QUE LLEVABA EL CAPÍTULO 28, SE PUBLICÓ TAMBIÉN *BUSINESS BOY KEN'ICHI* DE TAKAHAMA.

HOMBRE, TENIENDO 45 PÁGINAS, SI QUEDAS POR DEBAJO DE *TRAP* ES DIFÍCIL QUE TE OFREZCAN UNA SERIE...

...

SE... ¿SEGURO? ESPERO QUE LOS DOS CONSIGAMOS BUENOS PUESTOS...

CREO QUE CONSEGUIRÁS MÁS VOTOS QUE *TRAP*, YA LO VERÁS.

AQUEL DÍA TAKAHAMA TUVO LA DECENCIA DE NO MOSTRAR ABIERTAMENTE SU ALEGRÍA; SABÍA QUE ESO DOLERÍA.

EL CAPÍTULO 28 DE *TRAP*, EN EL QUE TENÍAMOS PUESTAS TODAS NUESTRAS ESPERANZAS, QUEDÓ 15.º.

TAKAHAMA CONSIGUIÓ EL SEGUNDO PUESTO, ALGO MUY INUSUAL PARA LA HISTORIA CORTA DE UN NOVATO.

...LOS TOMOS NO SE VENDEN MUY BIEN EN COMPARACIÓN CON CÓMO SE VENDIÓ EL PRIMERO.

SERÁ ESO, SÍ...

GOSUKE AKECHI DE LA WEEK NOS HA QUITADO LECTORES, ESTÁ CLARO. PARECE QUE VA MUY BIEN.

SUPONGO QUE LOS FANS NOS DEJARON MÁS DE LADO DE LO PREVISTO DURANTE LA PAUSA...

PUES LA CALIDAD DE LA OBRA NO HA BAJADO NADA.

BUFFF... SOLO 15.º, MADRE MÍA...

EN PRINCIPIO SE VALORA LA PREVIA; NORMALMENTE, LA PREVIA BUENA Y LA BUENA NO DIFIEREN DEMASIADO.

NO, PORQUE LA REUNIÓN EMPIEZA A LAS DOS Y LA BUENA SUELE LLEGAR A LAS TRES O MÁS TARDE.

ESTE VIERNES 16 DE DICIEMBRE ES EL DÍA DE LA FATÍDICA REUNIÓN. ¿TENDRÉIS YA LOS RESULTADOS DEL CAPÍTULO 29?

SI LA SERIE SIGUIERA, ESTOY DISPUESTO A RETARLE.

NOS ENFRENTAMOS A UN NOVELISTA PROFESIONAL DE PRIMERA...

SIENDO ASÍ, HAY QUE LUCHAR CON LAS ARMAS QUE OFRECE EL GÉNERO DETECTIVESCO Y GANAR CON ELLAS...

EL CAPÍTULO 29 YA ESTÁ ENTREGADO... ESPERO QUE NO RESULTE QUE EL 15.º PUESTO DEL CAPÍTULO 28 ACABE SIENDO MEJOR QUE UNA PREVIA PÉSIMA DEL 29...

SERÁ MEJOR QUE OS VAYÁIS MENTALIZANDO...

Y COMO CANDIDATAS ESTÁN *CHEATER* Y *HIDEOUT*... TODO DEPENDERÁ DE CUÁNTAS SERIES VAYAN A EMPEZAR.

ESO ESPERO... HASTA EL MOMENTO NO HA HABIDO DOS CORTES DE DOS SERIES NUEVAS CON SOLO DIEZ SEMANAS DE ANDADURA...

...

AH, POR SI SUCEDE LO PEOR, ¿NO...?

NO SEAS LERDA. NO QUEREMOS RECIBIR NOTICIAS SOBRE LO QUE SE DECIDA EN LA REUNIÓN DELANTE DE LOS AYUDANTES. ¿NO LO VES?

YA, PERO NORMAL-MENTE NO HACES ESTO.

BUENO, OGAWA Y LOS DEMÁS YA ESTÁN TRBAJAN-DO EN LOS ÚLTI-MOS RETOQUES Y NO QUEDA NADA MÁS.

¿EH? ¿HOY TAMPOCO VAS AL ESTUDIO, MASHIRO?

16 DE DICIEMBRE. DÍA DE LA REUNIÓN DE SERIALIZA-CIÓN.

TAKAGI...

¿POR QUÉ? QUÉDATE CON NOSOTROS, ¿NO?

PU... PUES TAL VEZ SEA MEJOR QUE ME VAYA...

NO, A LA MÍA. NO HABRÁ NADIE HASTA LA NOCHE.

¿ENTONCES, OS VAIS CADA UNO A VUESTRA CASA?

¿DE QUÉ?

QUE REZO EN SERIO.

CREO QUE ES LA PRIMERA VEZ EN MI VIDA.

...

GRR GRR GRRR

...NO CREO QUE AIDA ESTÉ MUY DISPUESTO A CONTI-NUAR, LA VERDAD...

CON LA ACTITUD QUE DEMOSTRÓ AOKI...

...

¡FINALIZADO!

MATERIAL EXTRA

por Marc Bernabé ██████████████ ██ ██

En estas páginas ofrecemos dos recopilaciones de notas para que puedas comprender mejor la historia y saber exactamente cómo funciona el mundo de la producción de manga en Japón.

La primera recopilación es un glosario de términos relacionados con la propia producción de manga. Incluye desde materiales de dibujo a términos especializados del mundo editorial japonés. Para más información, incluimos el término original en japonés y su transcripción a nuestro alfabeto.

La segunda recopilación es un típico conjunto de notas del traductor, creada para que puedas comprender al 100% las conversaciones y situaciones del tomo, perfectamente comprensibles para el lector japonés medio, pero oscuras o directamente desconocidas para los españoles. Como el número de notas es considerable y algunas de ellas requieren de una explicación relativamente larga, hemos decidido recopilarlas todas al final del tomo en vez de "manchar" las páginas con párrafos al pie que, además, pueden interrumpir la lectura fluida de la obra.

¡Esperamos que las disfrutes!

Glosario de términos manga ██████ ███ ██ ██

Llevar en persona los originales a la redacción (p. 7): *Mochikomi* 持ち込み. Nuestra propia traducción lo dice todo; en Japón no es nada raro ir en persona a las editoriales para presentar los trabajos y conseguir que un editor los valore.

Introducción a color (p. 8): *Kantô color* 巻頭カラー y *center color* センターカラー. Los manga se publican generalmente en blanco y negro, pero a las series o historias que se quieren destacar en cada número se les dan unas cuantas páginas a color al inicio (generalmente se invierten en una página inicial de manga normal –solo que a color– y una página doble con una ilustración espectacular). Normalmente tener páginas a color representa una gran diferencia y las series que reciben este trato suelen ilustrar también la portada de la revista o tener un trato preferente en ella. El manga *kantô color* (color al inicio del tomo) suele ser el primero de la revista, mientras que *center color* (color en el centro) indica un manga con páginas a color en medio de la revista. También es habitual que las ediciones kanzenban(definitivas), tan en boga actualmente, recuperen todas las páginas a color publicadas en la revista que se perdieron al recopilar las historias en tomo.

Tomo (p. 8): *Tankobon* 単行本 o *comics* コミックス. Las series manga suelen publicarse primero en revistas, por capítulos. Cuando hay suficientes capítulos, las historias se recopilan en tomos unitarios como el que estás leyendo.

Primera edición (p. 10): 初版 *shohan*. La primera tirada (unidades impresas) de un libro. Si se agota, se entra en la dinámica de reediciones (重版 *jûhan*). Los manga de más éxito se reeditan decenas de veces, y algunos de ellos sobrepasan incluso las cien reediciones.

Trama (p. 12): *Screentone* スクリーントーン. Láminas adhesivas recortables con tramas uniformes (con tonos de gris o dibujitos) que se pegan sobre el dibujo para darle cuerpo y volumen. Actualmente, numerosos mangaka colocan las tramas por ordenador.

Sensei 先生 (p. 12): Literalmente "maestro". Es el título que reciben todos los mangaka, novatos o veteranos, jóvenes o viejos. Hemos elegido no usar el término traducido "maestro" ya que las connotaciones que tiene esta palabra en castellano son bastante distintas. Usaremos pues el original japonés sensei.

Jefe de grupo o "capi" (p. 114): *Hancho* 班長, lectura forzada "cap" (capitán, jefe, líder). Jefe de cada uno de los subgrupos en los que se organiza la redacción de la *Shonen Jump*.

Lunes (p. 122): El día de la semana en el que se pone a la venta la revista *Shonen Jump*.

Treasure (Premio mensual) (p. 152): *Getsurei-sho* 月例賞. Premio de cadencia mensual que otorga la revista *Shonen Jump* a jóvenes autores. A lo largo de los años ha ido variando de nombre: Premio Hop Step (Hop Step-sho, 1982-96), Premio Gran Torneo de las Artes Manga (Tenkaichi Manga-sho, 1996-2003), Premio Jump de autores noveles 12 obras maestras (Jump Juni-ketsu Shinjin Manga-sho, 2003-07), Premio tesoro Jump de autores noveles (Jump Treasure Shinjin Manga-sho, 2007-actualidad).

La previa (p. 157): *Sokuho* 速報 (lit.: "Información rápida"). Primera contabilización de las encuestas. Sirve para hacerse una idea rápida de las series que más gustan.

La buena (p. 185): *Hon-chan* 本ちゃん (deformación de honban 本番, "el momento decisivo", "la hora de la verdad"). Contabilización final y definitiva de las encuestas, donde se deja claro el ranking de las series para aquella semana.

Notas de traducción

Yenes (p. 15): En este tomo aparecen algunas cifras en yenes, la moneda japonesa. Un yen costaba 0,007494 euros a fecha de enero de 2010, cuando se publicó este tomo en Japón. Así, convirtiendo algunas cifras que aparecen:
2000 yenes = 15 euros / 500 yenes = 3,75 euros / 1000 yenes = 7,5 euros / 3000 yenes = 22,48 euros / Cien millones de yenes = 749.400 euros / Trescientos millones de yenes = 2.248.200 euros / 250.000 yenes = 1.873,5 euros.

Cuarto y sexto de primaria (p. 49): Estos cursos de la escuela obligatoria japonesa se realizan a los 9-10 y 11-12 años de edad, respectivamente.

Me siento como Joe (p. 56): Referencia a la mítica serie de manga-anime *Ashita no Joe*. Esta, una de las obras más célebres e influyentes del shonen manga (manga para chicos), está protagonizada por el boxeador Joe Yabuki. Fue serializada en la revista *Shonen Magazine* entre 1968 y 1973 y sus autores son Tetsuya Chiba a los lápices y Asao Takamori al guión. Su versión animada se llegó a emitir en España con el título de *El campeón*.

Abril (p. 84): El curso escolar japonés comienza en abril y termina en marzo.

Spokon スポ根 (p. 144): Contracción de las palabras スポーツ y 根性 (*sports konjō*), es decir "tenacidad deportiva". Se trata de un género del manga-anime consistente en historias basadas en el mundo del deporte y en el que los personajes se esfuerzan sobremanera, llegando incluso a realizar actos extremos o hasta a morir, con tal de mejorar su rendimiento y ser los mejores. Las dos obras más célebres del spokon son *Kyojin no Hoshi* (*La estrella de los Giants* o *Hoshi de los Giants*, 1966-71; guión: Ikki Kajiwara, dibujo: Noboru Kawasaki) y *Ashita no Joe* (*Joe del mañana*, 1968-73; guión: Asao Takamori (seudónimo de Ikki Kajiwara), dibujo: Tetsuya Chiba).

Shōwa 昭和 (p. 146): Se refiere al período Shōwa, correspondiente al reinado del emperador Hirohito, es decir, entre 1926 y 1989. En este caso, sin embargo, se deduce que Yoshida habla más bien de los años 60 y 70, cuando el género del spokon estaba en la cumbre del éxito.

Una flor blanca sobre tu mesa (p. 149): Cuando ocurre una desgracia y fallece un alumno, normalmente se coloca un jarrón con una flor blanca sobre su mesa como homenaje.

SPANISH TEEN Bakuman 6
Bakuman 6

WITHDRAWN 2014

BAKUMAN. vol. 6
BAKUMAN. © 2008 by Tsugumi Ohba, Takeshi Obata
All rights reserved.
First published in Japan in 2008 by SHUEISHA Inc., Tokyo.
Spanish translation rights in Spain arranged by SHUEISHA Inc.
through VIZ Media Europe, SARL, France

© 2011 NORMA Editorial por esta edición.
Norma Editorial, S.A. Passeig de Sant Joan, 7, principal.
08010 Barcelona. Tel.: 93 303 68 20 – Fax: 93 303 68 31.
E-mail: norma@normaeditorial.com
Traducción: Marc Bernabé – Daruma Serveis Llingüístics
Realización técnica: BRKDoll Studio
Depósito Legal: B-35958-2010
ISBN: 978-84-679-0585-4
Printed in E.U.

www.NormaEditorial.com
www.normaeditorial.com/blogmanga